www.cosmosbooks.com.hk

天地

書　名　請用文明來説服我
作　者　龍應台
出　版　天地圖書有限公司
香港皇后大道東109—115號
智群商業中心十三字樓（總寫字樓）
電話：25283671　傳真：28652609
香港灣仔莊士敦道三十號地庄／一樓（門市部）
電話：28650708　傳真：28611541
九龍彌敦道九十六號 (加連威老道口)（門市部）
電話：2367 8699　傳真：2367 1812
印　刷　海洋印務有限公司
西環德輔道西444號香港工業大廈1樓D座
電話：2819 5112　傳真：2855 1344
發　行　香港聯合書刊物流有限公司
香港新界大埔汀麗路36號中華商務印刷大廈3字樓
電話：2150 2100　傳真：2407 3062

出版日期　二〇〇六年七月初版／二〇〇七年十二月五版．香港

# 目錄

## 輯二 你是否看見歷史中的「人」？

## 輯三 從《野火》到《冰點》

# 序一：爛泥巴裏有人跪着造反

王健壯

二〇〇五年十月初的事：早上睡過頭，匆忙從薄扶林大道香港大學宿舍趕到赤鱲角機場時，原以為一定趕不上班機，沒想到飛機誤點，反而偷得浮生片刻閒。悠悠哉去機場書店逛了一圈，買了本書，再走去機場「星巴克」的咖啡座，點了杯咖啡，隨意翻讀剛買來的書。

書是董橋的「甲申年紀事」。

每次看董橋文章，都會感嘆自己患了貧血症，才、學、識、情樣樣貧血。醫學上，貧血是小毛病，但才、學、識、情的貧血卻像絕症，讀再多書，寫再多文章，就像吃再多補藥一樣，依然藥石罔效。

看「甲申年紀事」時，亦復如是。從第一頁小引裏的一句話：「亂世文章可怒不可怨，宜悲不宜愁：怒則發憤，怨是小氣，悲而能壯，愁必纖弱」開始，就一路感嘆不已。

翻到書後面「龍應台看海的日子」那篇，本來無聲的感嘆竟不自覺化為沉重的一聲嘆氣：「臺灣的國民黨已經吊着歷史的尿袋坐在院子裏打盹；執政民進黨一味吞服臺毒的春藥遙望上海的背影自我洩慾；香港剛剛變成四九年十月之後頭幾年的大陸」，「這一刻，龍應台彷彿五十多年前流亡南下的讀書人，香港彷彿亮着風燈的客棧……靜夜裏偶爾傳來的幾聲咳嗽，撩起的也許是江南故人多病的惦掛；天亮後幾個頑童喧鬧的爭吵，聯想的也許是臺北權力走廊上打碎酒杯的喟嘆」，真是字字句句血肉豐沛啊。

董橋叫龍應台師妹，他這個師妹從臺北辭官後就南飛落腳香江，「看海的日子」中董橋寫的「望海的樓臺」，就是龍應台這幾年的棲息地：「沙灣徑二十五號」；這是她寫信的地址，專欄的名稱，辦沙龍的聚會所，有一天也許會成為一個代名詞，文化地標的代名詞。

巧的是，看董橋這本書之前三十幾個小時，我就坐在沙灣徑二十五號的客廳裏。當天，主人邀請了二十多位客人，除了香港本地外，分從北京、廣州、吉隆坡、新加坡、臺北前來，大家圍成一圈坐而論華文媒體的未來，十幾個小時輪流不停地各言爾事也各述爾志。我就是在這場被龍應台事後形容為「繁花亂插」的沙龍型聚會中，初識李大同與盧躍剛。

我對大陸媒體的「異議人士」一向有興趣，對「中國青年報」裏常搞「文字起義」的老牌異議人士李大同與盧躍剛，當然也略知一二；平常我雖然不習慣也不擅長沙龍式的坐而論道，但那次匆匆趕赴沙灣徑，有很大的因素是想見見這兩個「造反派」。

大同與躍剛造過很多次反，但他們造的最大的一次反，卻是請龍應台寫了一篇文章：「你可能不知道的臺灣」，刊登在他們主編的「中青報」招牌版面「冰點」上面。

當時連戰與宋楚瑜剛結束大陸破冰之旅，兩股臺灣吹來的風吹得許多人薰薰然，大同他們想借風駛帆，左思右想便請了龍應台這位「知道限制並且能超越限制進行寫作」的境外作家，跟他們一起搞文字起義。「我不是在向妳約稿，我是在邀請妳一起來推動歷史進步」，這是盧躍剛向龍應台約稿時的臺詞，既甜蜜窩心，又自信氣魄，難怪龍應台會欣然應命。二十四小時後，稿件就從望海樓臺傳到「冰點」辦公室。這個曾經放火燒遍臺灣的作家，第一次在共青團中央的機關報上粉墨登場，當起了臺灣的代言人。

在沙灣徑那場聚會中，有人問大同他們：「為甚麼想登、敢登龍應台的文章？」他們的回答是：「這是博弈！」

博弈？沒錯，他們用的確是「博弈理論」中的「博弈」這兩個字。把衝突、談判、妥協、角力，化為可計算的程式，再計算好各種可能的變化，以便在最有利的條件下贏得勝利，就是「博弈理論」。

其實，不用懂「博弈理論」是甚麼，大同與躍剛早就是博弈老手。他們過去寫萬言書向領導抗議，是博弈；拒絕刊登「典型宣傳」，是博弈；用「大領導」的話罵「小領導」，也是博弈；請龍應台寫文章，當然更是不折不扣的博弈。李大同說：「以前不可能博弈，但現在我們可以試着跟當局下兩步棋」；龍應台成了他們的棋子，一顆也許可以替中國困局殺出一條活路的棋子。

二〇〇五年五月二十五日，棋子下定位，龍應台文章在「冰點」刊出，大同他們贏了棋；但贏棋的滋味猶存，二〇〇六年元月二十四日，共青團中央卻下令「冰點」停刊，他們輸了這盤棋——也許李大同他們不作此想，但城堡都被人奪去了，還不叫輸棋？

元月二十四日那天晚上，我在報館接到龍應台的電話：「『冰點』停刊了，我想寫篇東西」，語氣夾雜着沮喪與悲忿。隔天，她傳來一篇三千多字的稿子；元月二十六日早上，「中國時報」A5版上登着斗大的兩行黑色標題字：「請用文明來說服我——致胡錦濤的公開信」，左右兩張照片，龍應台與胡錦濤各據一方。一個境外作家在境外媒體上直接與他對話，這大概是胡錦濤的平生第一次吧。

一如以往，龍應台的文章以燎原之勢迅速燒遍全球華人知識圈；怎麼封也封不住的網路到處散佈這則文字起義的消息，海內外抗議聲援的言論像煮沸的開水滾滾作響；短短二十天後，共青團中央下達命令：「冰點」復刊，但李大同與盧躍剛調職。城堡保住了，但堡主卻換了人。

「冰點」復刊前，我的朋友楊渡，人在北京出差，他跟大同與躍剛見了幾次面，有天他問到復刊的事，李大同很生氣的回答：「有這麼隨便嗎？他們要停就停，要復刊就復刊，這不是欺負人？我們先去海南島曬幾天太陽回來後再説」；問他們「復刊後會不會被調職？」回答是：「不會，不可能的事。這次博弈他們輸了，輸得很難看啊！」

又是博弈！共青團中央史無前例收回成命，團中央博弈輸了；李大同與盧躍剛被剝奪兵權，放逐到研究所當閒差，好像也博輸了；龍應台呢？「冰點」復刊是否跟她開第一槍起義有直接關係？國家最高領導人有沒有看過她的文章？無從查考；但不問不查也知道，「肯定起了很大的作用」。一言而動天下，一文而變決策，她當然是這場博弈的贏家。

楊照曾以臺語的「憨膽」形容野火時期的龍應台，傳神至極；她自己也説寫「野火」時「是帶着一股『氣』去寫的，一股跟你周旋到底的氣」。現在的龍應台雖然仍不失憨膽本色，卻多了幾分世事洞明的博弈技巧。

龍式風格的書寫策略，獨步江湖，很難找到罩門，但稍稍用點心的人，卻不難洞穿她細縫密織的策略防護網，從她的字裏行間，隱約可以感覺到她的壓抑、修飾甚至是掩飾；很顯然她還有「氣」，但她不想像其他人那樣的氣急敗壞——換種説法吧，她不想像別人那麼的不文明，那麼的沒有教養：誰聽過她罵人帶過髒字？

她選擇寫公開信給胡錦濤聲援「冰點」，選擇用「文明」這個既抽象又通俗、既高調又低調的名詞來當她的攻擊武器，這就是她的書寫策略，也是她的博弈策略。

她跑到「冰點」上放野火，是個偶然；火燒到跟她一起搞文字起義的革命夥伴身上，她要以火滅火，卻是個必然：「我們自己是從那種爛泥巴的博弈環境裏走過來的」，「我常常想，為甚麼我對中國大陸的『氣』那麼容易就涼了？是因為我對這個地方的情感和承擔不夠吧？這讓我很慚愧」，這是她當初答應替「冰點」寫稿的原因，當然也應該是她決定從境外馳援「冰點」的原因。

的確，臺灣有許多像龍應台這樣年紀的人是從爛泥巴裏爬過來的；爛泥巴裏藏着警總、文工會、總政戰部、新聞局、戒嚴令與出版法，處處荊棘，遍地詭雷，不傷不死者幾稀。有過這樣經驗的人，一旦看見或聽聞有人在爛泥巴裏「跪着造反」（盧躍剛的話），怎能別過臉轉過身，不聞不問不伸手？

中國的今天也許並不全然是臺灣的昨天，但中國現在的「全能主義」（totalism，鄒讜教授創造的名詞）不再那麼全能，「高度一體化的整體」逐漸鬆動，「國家佔領社會的空間」日益縮小，卻的確有點像昨天的臺灣：緩慢的降壓，逐步的向民主過渡。對媒體，對李大同、盧躍剛這樣的記者，這是變局的序曲，冰裂的第一聲。

然而，臺灣的今天就是中國的明天？樂觀的人肯定有，我不悲觀，但有所保留。更何況，政治的魔鬼不死，祇是換了一張面具；臺灣現在還跪着造反的人雖然沒了，站着造反的人也偶而有之，但讓人駭異的是，怎麼竟然還處處看得到跪着請安的人？向換了面具的政治魔鬼跪安，也向戴着笑鐵面的商業魔鬼跪安。

中國要這樣的臺灣的今天嗎？或者說中國在複製臺灣的同時又可以不變成這樣的臺灣的今天嗎？

對許多人來說，「冰點」這兩個字本來是三浦綾子的代名詞，是因為龍應台才讓它跟李大同與盧躍剛這兩個名字、跟中國媒體與政治這樣的現實，產生了新的聯結。但當龍應台向胡錦濤喊話「請用文明來說服我」那天，臺灣媒體爭相報導的卻是「龍應台痛批老長官馬英九」，爭相追問的卻是「國青團該不該出個像共青團那樣的胡錦濤」，冰點、李大同、盧躍剛通通加起來也不如一個馬英九；每個人祇聽到「臺北權力走廊上打碎酒杯的喟嘆」，每個人都在遙望北京的背影自我洩慾。

如果等待的結果是這樣的臺灣的今天，我相信李大同與盧躍剛大概會搖搖頭：「我們還是跪着造反吧！」

# 序二：蒲公英的歡樂和悲傷

錢鋼

中國大陸的知識分子，很少有人知道臺灣人所說的「五年級」、「六年級」是甚麼意思。我也好晚才明白，出生於公元一九五三年，即民國四十二年的我，和龍應台同為「四年級生」。

許多年，同代人互不相干。民國五十二年，龍應台是高雄鄉下的小學生，在漁村可以望見大海。海那邊，有個小島叫南麂。一九六三年，島上有一名暑期前來看望解放軍父親的小學生錢鋼。一天，尖厲的警報聲響起，臺灣空軍RF-101戰機（我們喊它「妖洞妖」）突然臨空，槍炮大作，我在山路上倉皇奔跑，哨兵大喊：「臥倒！」「臥倒！」

海，製造過一代人的心驚，區隔出迥異的人生。終於有一天，帶着無數的歧義和謎團他們相遇，好奇心和探究慾在瞬間迸發。一九九三年，在德國法蘭克福近郊「空堡」（Krongburg）鎮我第一次見到龍應台，她對小兒子說：「飛飛，這是北京來的錢叔叔。」我好奇她的發音，「叔叔」作「上聲」即第三聲。

哦，臺灣，我想。

龍應台的名字和《中國人，你為甚麼不生氣》（即大陸版《野火集》）在我們這岸「登陸」，始於上世紀八十年代後期。然而細梳那些年的經歷，我想起當時對我們震動更大的臺灣文字，卻是柏楊先生的《醜陋的中國人》。那是一個盛行「宏大敘事」的年代，我們懷着從「器物」到「制度」、到「文化」全面改造中國的弘願，急迫地渴望制度巨變和文化顛覆。龍應台的文字讓許多大陸人怦然心動，但也就在同時，電視片《河殤》對「黃色文明」的清算和對「藍色文明」的期盼正傾倒萬千青年。八十年代臺灣的「野火」，在激蕩的八十年代大陸，算不上熾烈。

跨過深深的斷層，走到九十年代。六四後的低谷期，一切推倒重來。我籌辦《三聯生活週刊》，參與了傳媒商業化（也是「海外資本進入中國傳媒」）的最早嘗試，也因此有機會去德國考察。說來丟人，最初聯絡龍應台，竟是為了麻煩她幫忙訂回程機票（見識不廣的我們，偶到國外，就是這樣侷促）。龍應台對我的幫助，就從我數馬克、取機票開始。

回想她對中國傳媒十多年熱忱參與和無私援助的那個起始點，竟全是瑣碎的細節。記不得在最初的交流中她對我談過「警總」、「黨外」，也記不得她說起過「新聞自由」、「第四權」。到達她居住的小鎮，先是隨她到鎮圖書館給兒子借書（一個小學生能看好重好重一口袋書呀，我驚訝），然後是看她給四個孩子做晚飯（有兩個鄰居孩子要例行共進）。餐後，招呼三個孩子就寢（鄰家女孩帶來牙刷睡衣例行共眠）。一切就緒後，本是她徹夜寫作的時間。她斟了兩杯紅酒，抱來一大堆《明鏡》和《明星》，應我的要求，給我講解德國傳媒。

從雜誌編輯部構成、欄目設置、封面故事、公眾來信到定價和廣告，龍應台不厭其詳。我們談到凌晨。早上，幾乎沒睡多久的她開車送孩子上幼稚園、上學，而後要趕去慕尼黑開會。我請求和她同行，在半日車程的列車上繼續交流。

有時，最鮮活的記憶，是印象而非實事，是氣息而非邏輯。對我來說，那次「訪龍」，對我這十多年摸爬滾打投身中國新聞變革有莫大的意義。「空堡」之行，更多的，是收穫了一種狀態：沉靜，耐心，不懈。我得到種子。我看到西方民主曾有過的漫長而崎嶇的歷程（龍應台常建議到法蘭克福的大陸朋友，去聖保羅教堂看看，那裏是普魯士議會政治策源地的遺址）；從「空堡」小鎮看到民間社區的一角、看到教育和文化；當然我還看到這「活龍活現」的個人。我十分敏感兩岸同代人的差異，所以對龍應台的視野、她待人接物的舉止、她在「媽媽／作家」雙重角色中表現的活力印象深刻。

就這樣龍應台出現了。她站在我們身旁，用溫暖的目光為中國傳媒加油，加入我們的群落，和我們一同生長。這是日復一日的涓滴彙聚，一厘一毫的緩慢推進，縱使十年不將軍，不可一日不拱卒。一九九八年，我主《南方週末》筆政，不到一年，就有十餘篇「龍文」在我們的報紙刊出。她談電影，談文學，談環境，談國際事務，一個核心是，談文明。她的文章，成為那一時期《南方週末》「一紙風行」的重要因素之一。她甚至還曾來到廣州，親眼目睹我在報社夜班看大樣，看我抓撓頭皮，和宣傳官苦苦周旋。

當我不再是《南方週末》常務副主編，她也不再是臺北市文化局長的時候，感謝上蒼！我們竟然又成為香港大學的同事。「中國傳媒研究計劃」（China media Project）的一位位訪問學人——來自中國傳媒的優秀記者、編輯們，成為她的新朋友。他們在龍應台的家中看大海的豪雨白浪，沿九重葛怒放的小徑一同行山。朋友們尊敬她，卻無須仰視。她善解人意，明瞭他人的處境，體諒歷史的封閉給朋友造成的缺損——知識的，性格的。她更願意傾聽，對大陸的歷史和現實充滿探尋的興味。她總是說：「你告訴我……」「請你解釋……」「我還不明白……」。也就在這一遍遍的問詢和信馬由韁的交談聲裏，她思緒飄飛。卸任政務官後的龍應台，在大陸、臺灣、香港和整個華人圈，引發了一次次更遒勁的思想風暴。

近年她的文字，直刺現實，促人警醒；觸摸歷史的創痕，讓我默默拭淚；對喧囂的臺灣，對混沌的大陸，以十分微妙而艱難的方式，深入不同的語境，兩邊發言。她有靜水深流，娓娓訴說；也有剎那間迸射的閃電，一朝拍案。越來越多黃皮膚黑眼睛的「七年級生」、「八年級生」，被她磁性的聲音吸引。在大陸、臺灣和香港，龍應台成為一個沒有人能夠替代的角色，成為三地傳媒人和學者思想和情感的極其重要的紐帶。二〇〇五年秋，在她香港的家中，舉行了一個史無前例的聚會。「兩岸三地」數十位媒體總編輯促膝長談熱烈討論：歷史和現實，抗爭與博弈，政治與資本，傳媒的權利與品質……

我寧願樂觀地相信，恒久的，不是朋友們曾熱烈討論過的這些議題。五年、十年、二十年，一切都會過去。步換景移，塵埃將落，曾經滾燙的定將冷卻，曾經的死結或將釋解，今天的困局會被新的困局覆蓋。但文化的基因將傳遞，思想的魅力將久久縈繞。

政治的門，有時會在一夜間轟然開啟。文化卻不會，文化原本就沒有鎖鑰齊備的門。文化有的是，隔絕的霧幛，誤解的濃雲，遮蔽的雨簾，夜一般的漫漫習性。是的，文化的封閉和隔離，才是龍應台真正的強悍對手。讓華人世界除縛破礙，走近大本大源，是她從「野火」一路行來從未熄滅的奮鬥。

二〇〇五年底，我應邀到臺灣訪問，曾參加「龍應台文化基金會」的志工聚會，親眼看見龍應台對一群正在用餐的志工們——教師、主婦、商人和前外交官，發表即興演講。這是我聽過的最有趣最特別的一次演講：面對滿桌熱騰騰的小火鍋，她講「把國際觀引入臺灣」。

有清晰精準的「人生設計」嗎？我看她沒有。一切如春來草青，自然發生。她不是那種居高臨下的播種者，總想用鋒利的犁頭，去犁開人們的心靈。她弱小如蒲公英：世事如風，她時而輕舞，時而掙扎，時而疾走，時而又墜入荊棘。如一部大陸影片《巴山夜雨》的主題歌所唱：

我是一顆蒲公英的種子
誰也不知道我的歡樂和悲傷
爸爸媽媽給我一把小傘
讓我在廣闊的天地間飄蕩

自由的心，帶着她不止不息地飄蕩、穿行和播撒。讀盡炎涼，她不世故圓滑；屢經錘鑿，未變得粗糙；她草根，卻不草莽；深邃，卻不玄奧；她不失大真，對大千世界，有所見有所不見，有所爭有所不爭。她常常孩提般歡樂，也常憂傷。她知道一個獨立的思想者不能被讀者和聽眾的喝彩或是叫罵挾持，然而她有時即便能忍受充滿敵意的箭簇，卻無法承受誤解誤讀的傷害，陷入深深的悲哀，去意徊惶。

但我知道，最大的慰藉——對她，也對我們的——就是：天地無垠。

真的，誰能擋得住，彈指間，天地越來越寬闊了。

請　用　文　明　來　說　服　我

# 輯一：請用文明來說服我

請　用　文　明　來　說　服　我

# 為臺灣民主辯護

## 我們，華人世界

我們下了飛機不需要調時針。我們説話不需要翻譯，迷了路可以開口就問；我們隨手買份報紙，拿來就可以讀。電視上的新聞和酒酣耳熱的辯論，不需要解釋就可以聽懂，因為，我們屬於一個「華人世界」，同時區、同語言、同文同種。

我們的履歷非常相似：大多數的我們都有貧窮的童年記憶，少年時對於鎮壓逮捕和政治迫害有了懵懂覺察，大學時開始對西方的開放自由有所嚮往，成熟時，卻發現現實中有太多的人為障礙，阻擋着我們對夢的追求。

我們的夢，也很相似：傲慢的殖民者，走開；顢頇的專制者，下來；讓公民自己來決定自己的前途。從北京到新加坡，從香港、澳門到吉隆坡，我們都在夢想建立一個公平正義的社會，而且從長時期的殖民和專制統治的經驗中我們已經知道，公平正義既不能依靠「仁慈」的異族殖民者，也不能依靠自以為替天行道的本族專制者；民主，遂承載着我們深重的期望。

在這一種夢想和苦悶的交織下，臺灣的民主十幾年來變成華人世界關注的焦點，除了因為它在華人歷史上開創新局之外，也因為它的發展有我們熟悉的軌跡：帝國主義國家譬如日本或英國，在我們的土地上留下或深或淺的工業化基礎；利用這個基礎，華人胼手胝足地努力，又在威權政府的統治下創出經濟成果，同時將經濟成果投資於教育，但是教育水平提高了之後人民轉而向威權政府挑戰要求政治參與，逐漸開展出今天的民主體制。

## 華人民主，行嗎？

華人心底蠢動的問題是：我們的國家或城市，是否也可能沿着相似的規則發展出民主來？中華傳統文化中的封建官僚、血緣觀念、凌駕法治的泛道德思維方式等等，與講究社會契約、強調權利與義務的民主究竟能否接軌？民主是不是會降低政府效率？民主是不是會帶來社會不安？或者，以華人的公民素質，有沒有資格實行成熟的民主？

臺灣的民主是一個公開的當代實驗，在所有華人眼前進行。這個實驗究竟怎麼樣了呢？

臺灣政府在SARS期間的慌張混亂、上下扞格，相較於新加坡或甚至於北京政府在處理善後時的劍及履及，在華人世界興起一個流行的說法：處理危機時，民主政府不如威權政府有效率。即或不是處理危機，北京或上海近年在城市建設上的高樓暴起，大開大闔，相較於臺北建設因為與民眾長期溝通協調而出現的「牛步」效率，也加強了一種印象：民主等於低效率。

臺灣國會裏相互嘶吼、打耳光、撕頭髮的鏡頭傳遍全球，國際社會引為笑談，華人社區更是當作負面教材。民主制度裏可能有的弱點，譬如粗暴多數犧牲弱勢少數，譬如短程利益否定長程利益，譬如民粹好惡凌駕專業判斷，在臺灣民主的實例中固然比比皆是，但是隨着國會不堪入目的肢體和語言暴力，輔以電子媒體的追逐聳動煽情而更被放大，以致於政治「臺灣化」這三個字已經在大華人區中成為庸俗化、民粹化、政治綜藝化的代名。

在這樣的背景中，我們走到了二零零四年三月二十日的總統大選。像拙劣的警匪片：莫名的槍響、離譜的公安、詭異的醫療；像三流的肥皂劇：控訴不公又提不出證據、要求正義又提不出主張、召喚了群眾又不知如何向群眾負責；像不忍看的鬧劇：總統的肚皮公開展示，彷彿肉攤上等待衛生檢查的一堆肉。

這是親痛仇快的一幕：對民主本來就敵視的人，用臺灣民主的走調來證明民主的不可行。對北京的高官以盛氣淩人的天朝姿態指着香港人說香港人「不夠成熟」，不能實施民主普選。對民主抱着憧憬而希望以臺灣民主的成功來做他山之石的人，陷入焦慮。一位南京的年輕學者來信說：「臺灣的亂象動搖了全世界華人對民主制度的期許和信心。也許這是民主必修的課程，但是如果學費太昂貴，會使想註冊的人望而卻步，而部份註了冊的人則可能決定退學。一次大戰後義大利的無政府狀態導致了莫索里尼和法西斯的上臺。如果類似的悲劇在臺灣上演，將不僅僅是臺灣的悲哀，也是全中國人的悲哀。」

我們，究竟能不能為臺灣民主的「荒腔走板」辯護？在「警匪肥皂鬧劇」裏，可不可能讀出深沉的理性和文明的努力？

## 尋找核心價值的必要

假設你在一條黑暗的街道上，一扇窗裏突然亮了燈。你看見窗格裏的人在吃飯喝酒談笑，影像分明。但是，你看不見，也不可能知道，一離開那小小窗格，那一家子人做甚麼說甚麼。你的視角，就鎖在那燈光所在的一方小格子裏。

華人世界看臺灣民主，往往也在鎂光燈照亮的一小方格內。在那方格裏，我們看見陳水扁舉着拳頭嘶吼，看見連宋趴下來親吻泥土，看見立法委員帶頭衝法院，看見打架、流血、絕食。在那一小方格內，我們聽見「消滅外來政權殘餘勢力」、「為臺灣人民擋風、擋雨、擋子彈」、「衝進總統府」等等充滿煽動煽情、與民主的理性精神背道而馳的聲嘶力竭。

可是，你不能不知道：窗格後面，有你看不見的縱深和廣度。

縱深之一：為甚麼美國的兩黨政治可以那樣平靜地政權交替，勝敗都等四年一決；臺灣卻有如身家性命的孤注一擲？是華人文化裏缺乏理性嗎？

不，是階段的不同。美國的民主制度有兩百年的實踐經驗，今天兩黨之爭只是政策之爭，屬於執政的技術層面。臺灣民主，從解嚴的一九八七年算起，只有短短十七年。兩黨所爭，不是政策，而是核心價值之爭，屬於文化認同、安身立命的靈魂層面。為技術或為靈魂而爭，意義不同，激烈程度當然不同。別忘了，美國為了對於奴隸制度的認知差異，是打了仗、流了血的。奴隸制度，牽涉到自由和人權的核心價值認定；為了核心價值，人，是可以義無反顧的。

凡是從專制統治解放出來的社會，在獨裁者或殖民者走了以後，會有一種迫切的需要，需要重新面對被扭曲、被偽造的歷史，用自己的眼睛徹底找出真實的自己。殖民的日本、威權的國民黨、集權的共產黨；文化的日本、文化的中華民國、文化的古老中國——三股文化的影響與政治的籠罩，還有被稀釋掉了的非漢族原住民的影子，糾纏在臺灣的深層意識中。未來怎麼走取決於過去怎麼解釋，那麼過去怎麼解釋？不同來歷的臺灣人——福佬人、客家人、原住民、外省人，因為集體經驗不同，痛點不同，感情的投射方向不同，對於「臺灣應該是甚麼」因此有截然不同的認知。這些不同的認知必須經過長期的交鋒摩擦之後，才能得出共識，也就是一組共同的核心價值；**沒有共同的核心價值，就沒有公民社會。**

如果你知道，尋找、建立共同的核心價值是任何民主必經的首要過程；如果你知道，臺灣人在經過五十年日本殖民、四十年軍事戒嚴，而此刻還面對強權的國際封鎖和飛彈的威脅，這是第一次有機會試圖「把自己理清楚」；如果你知道，在壓抑了一百多年之後，自由第一次來到，而且只有短短的十七年，十七年中沒有軍事政變、沒有流血暴動、沒有強人獨裁……你會怎麼說呢？

你在鎂光燈小方格裏看見警察的盾牌和受傷的人民，但是你看不見的縱深是：五十萬人上廣場，心中怒火狂燒，可是行為理性溫和，秩序井然，對於民主真相的要求，卻又堅定不移。另外可能也有五十萬人，對廣場上的認知完全相反，但是忍耐地留在家中，不衝上街去叫囂對抗。**三月二十七日可以說是臺灣「新公民運動」的開啟。**更何況，選舉的爭議翻天覆地，人們血脈賁張，但是最終還是訴諸司法；我們沒有看見暴民，沒有坦克，沒有街頭的火焰沖天。是的，在權力爭奪的卑鄙齷齪中，我仍然看見深沉的理性和文明的努力。

## 民主在生活裏

在那一小方格裏，很多人以為：那就是民主了，選舉投票、國會爭執、萬人抗議，很聳動，很刺激。你或許羨慕它：我們，門兒都沒有。你或許排斥它：太亂。

可是我想告訴你，不，那不是真正的民主所在。民主真正的意義，在那小窗格以外，無形地溶在生活點滴裏。

是民主，使臺灣變了。政府機構、軍事單位從長期霸佔的都市核心撤走；庶民歷史重要，因此歷史街區得到保存；族群意識高漲，弱勢的權力——不論是語言文字還是宗教信仰，得到平等保障；市民參與政府決策，因此城市的改造由市民意願主導。如果說，民主政府的效率低，是的，那是因為政府必須停下腳步來聽人民說話，很費時間。可是，你要一個肯花時間來聽你說話的政府呢，還是一個招呼都不打就可以從你身上快速碾過的政府呢？

民主，就是手上有一本護照，隨時可以出國，不怕政府刁難；民主就是養了孩子知道他們可以憑自己本事上大學，不需要有特權；民主就是發表了任何意見不怕有人秋後算帳；民主就是權利被侵犯的時候可以理直氣壯地討回，不管你是甚麼階級甚麼身份；民主就是，不必效忠任何黨，不必討好任何人，也可以堂堂正正地過日子；民主就是到處有書店，沒有任何禁書而且讀書人寫書人到處都是；民主就是打開電視不必忍受主播道德凜然地說謊；民主就是不必為了保護孩子而訓練他從小習慣謊言；民主就是享受各種自由而且知道那自由不會突然被拿走，因為它不是賜予的。

**民主並非只是選舉投票，它是生活方式，是思維方式，是你每天呼吸的空氣、舉手投足的修養、個人迴轉的空間。**這，在小方格窗裏是看不到的。所以如果你對小方格裏的混亂失望，不要忘記，真正的民主在生活裏，在方格以外的縱深和廣度裏。

## 被「綁架」的感覺

我無意說，臺灣的民主很成熟。不，它很幼稚，充滿缺陷，因為它先天不足。國民黨當權時，我曾經覺得自己是「被綁架的人民」。蔣介石的獨裁使我在西方留學時，覺得抬不起頭來。他沒有我的背書，卻對全世界代表了我。

當時並沒有想到，有了民主之後，我仍然是個「被綁架的人民」。四年來，陳水扁以鞏固政權的手段來治理國家，以對抗中國的操弄來鞏固政權，以族群對立的情緒來凝聚選票，件件都違背我這個公民對民主原則的認知，但是他，對全世界代表了我。

被政客「綁架」的感覺，不好受。

可是，讓我們把事情理清楚：

陳水扁的確是操弄了「中國妖魔牌」而贏得權力，但是他有民意支持；不管怎麼驗票，比四年前多出一百五十萬人投票給他。在指責他玩弄民粹的同時，我們可能不該忘記了根本的問題所在：**中國本身的極權統治、中共對臺灣的武力威脅和國際壓迫，是臺灣人真正的痛苦來源。**這種痛苦越深，陳水扁的操弄空間越大。政績可以一塌糊塗，誠信可以疑雲重重，政策可以出爾反爾，國家發展可以長期原地踏步，但是因為有中共極權的威脅在，人民覺得就必須團結在他的羽翼之下，同仇敵愾。對政績、誠信、政策的質疑，對民主程序正義的堅持，都可以被當作「賣國」標售，因為中共的威脅，實實在在，就在眼前。

使我被陳水扁成功「綁架」的，是中國集權政體對臺灣民主的威脅。

## 戴着防毒面具跳舞

臺灣的民主，就在這樣變形扭曲的結構裏想要長得正長得直，像戴着防毒面具跳舞，像穿着防彈衣游泳，像綁着腳鍊賽跑；而你說，十七年太長？臺灣民主是個「國際笑話」？

我說，十七年太短；我說，臺灣的民主不是「國際笑話」，打擊它的極權統治才是。我說，臺灣人很了不起。

二零零四年的大選，是民主退步嗎？或許，因為多年來不曾被懷疑的選舉機制在操弄下倒退到原點，被嚴重懷疑。但是誰說民主的進程是一條直線呢？它其實更像曲折的之字，進一步退兩步，退一步進兩步。進退轉折之間，走勢向前，就是進步。二零零四年的臺灣，我們看見國親兩黨的挫敗。但是在野黨，如果沒有熱情理想、沒有革新衝勁，因而消滅，難道不是民主的進步？執政黨，以最不光彩的姿態在抗議聲中上臺，因而被迫謙虛懷柔，難道不也是一種獲得？

這些日子，臺灣人心情確實沉重。在強人的陰影下生活過，他們太清楚自由多麼脆弱。現在新強人陳水扁出現在歷史的舞臺上，歷史的悲情、族群的撕裂、中共的威脅，所有的政治武器全都要過了，接下來的考驗嚴酷無比：悲情可以奪權，如何執政？族群撕裂可以煽情，如何癒合？與中國的關係，完全失去信任，如何對話？面對半國人民的敵視，何以治國？

**民主，其實就是維持清醒，不間歇的與強權的角力。**對臺灣人今後最大的挑戰是：國民黨作為反對黨一敗塗地，反對的勢力如何重整？知識分子又怎麼找到位置，重建反對力量？理性、寬容、有知識有定見的公民，如何從草根培養？

臺灣人不需要華人的鼓掌，但是他需要鼓勵，更需要理解。在四十年的軍事戒嚴下生活，在五百枚飛彈的瞄準下思想，面對新的強人上臺，還要回頭去研究德國的一九三三和義大利的一九二二，臺灣人在民主的進程上從無到有，從有到深沉，沒有勇氣，沒有毅力，是做不到的。華人世界，請你拍拍臺灣人的肩膀，給他一點默默的溫暖，同時，深思你自己的處境，讓我們彼此扶持吧。

寫於二零零四年臺灣總統「槍擊案」後一個月
原載於二零零四年四月十五日香港《明報》

# 超越「臺灣主義」

## ——向核心價值邁進

### 前言

「為臺灣民主辯護」在華文世界引起前所未見的巨大迴響。中國大陸的網路上一片激昂的罵聲，指控龍應台是「中華民族叛徒」；許多知識分子則紛紛著文為「辯護」辯護。在臺灣，最多的還是表達知音的感動，但是也有人認為龍應台是「臺灣民族叛徒」。「中華民族主義」和「臺灣民族主義」在這裏一頭撞上。

### 養豬户的女兒

我是一個鄉下警察的女兒。鄉下警察的待遇太差，養不起四個孩子，所以鄉下警察的妻就去編織漁網。一天織十個小時，可以掙八十塊錢。她同時找到一塊荒地養豬，每天清晨到爛泥潭中割牧草做為飼料。因為結網，她的手摸起來像繩索一樣粗；因為牧草割手，她麻粗的手經常流血。

十四歲的我所親近的世界由五種人構成。赤腳的漁民，在冬夜裏摸着黑上船，清晨回來；常常有人去了不回來，妻女就在海灘上抱着衣物招魂，哀哀哭泣。外省老兵扛着帶刺刀的步槍，巡守海岸，海的對岸是他們妻女父母所在的家鄉，也是他們槍口瞄準的方向。

老兵通常孤獨一生，往往死了好幾天之後才被人發覺。那能娶妻的，娶的通常是比他們更邊緣的人。從原住民部落出來，那眼睛深邃的女人背着孩子，在防空洞上種絲瓜。

鄉裏有個大陳村，大陳人穿着在我看來是「古時候」的衣服，講一種聽不懂的語言。梳着髻的婆婆艱難地彎身，在牆角燒煤，一群雞在她腳邊。

我心目中的「有錢人」，是鄉裏的醫生。他說閩南語，但是用日文夾着德文寫藥單。似乎知道這外省鄉下警察連孩子的感冒藥都難以負擔，他通常不收錢。而真正繳不起學費時，警察妻就靦腆地去向醫生借貸，醫生把錢放進她手裏，說，「小心孩子，不要感冒。」

那鄉下警察兼養豬戶的小孩，我，講一口土氣的閩南語，就在外省老兵、部落原住民、倉皇撤退的大陳人和閩南漁民的沉靜的溫柔環抱中長大。幫母親餵完豬之後，來到父親面前；這湖南來的鄉下警察脫了制服，坐在醬油色的竹椅上，他的白色汗衫已經被洗得稀薄，幾乎就是破爛了。就着電力昏昏的燈，站着，我開始背誦「滕王閣序」。這是一九六七年的臺灣。

一九九九年九月，以政務官的身份我站在臺北議會接受質詢，晴天霹靂而來的不是質詢，而是指控：「你，不是臺灣人！」當我修復地層下陷的林語堂、錢穆故居時，隆隆的指責是，「林語堂、錢穆都是中國人，不是臺灣人；你為甚麼修他們的房子！」當我試圖將二二八紀念館以公開競標的方式尋找經營者時，我必須忍受被指為「文化殺手」，「外省文化局長在消滅臺灣本土文化！」而時不時，一張匿名的傳真信會交到我手上：「中國人，滾回去！」

三年半，不吭聲，只是分秒必爭地把事情一件一件做出來。我可以面對叫囂震天，不眨眼、不說話；我的篤定從哪裏來？

只有我自己知道：那滿面滄桑的漁民、那喝醉了就痛哭失聲的老兵、那逃走又被追回來的部落女人、那無法與人交談的大陳婆婆、那在診室裏聽貝多芬的醫生、那鄉下警察和他養豬織網的妻子；這些鄉人從未叫囂，卻給過我一生用之不盡的溫暖和信任。甚麼是臺灣人？不必由你來告訴我。

## 簡單的公式簡化了真相

「北社」副秘書長王美琇女士用「兩種文化想像」來詮釋臺灣目前的社會分裂來由（二零零

五年四月二十三日《中國時報》）：一種是「蔣氏政權撤退來臺後，在臺灣社會不斷透過其所掌控的文化、教育、傳播的力量，有意識和有計劃的長期形塑臺灣人民的民族想像——我是中華民族、我是中國人。」另一種就是「從土地情感、共同的歷史記憶與生活經驗自然而然形塑而成的。」臺灣的民主就是由後面這股臺灣的「土地情感」促成的，而阻礙臺灣民主發展的，就是前面那一股「蔣家政權官方」操弄所培養出來的「中華民族與中國人」的「想像共同體」。

這是一個線條分明的公式：蔣家政權＝官方＝中華文化＝中國人＝反民主；土地情感＝人民＝臺灣文化＝臺灣人＝民主。未來努力的方向，就是把前面這條方程式刪掉，剩下就是美好的「公民社會」了。這幾乎就是近數年來民進黨執政的思維主軸，這個公式因此值得深入探討。

簡單的公式套在錯綜的歷史和複雜的情感上，就會簡化了真相。譬如說，所有對中華文化或民族有所認同的，都是國民黨愚民的結果嗎？不見得。臺灣在國民黨來臺之前幾百年期間，漢文私塾和詩社就很發達，異族統治時，「中華民族」情緒更是一觸即發。讀一讀熱愛臺灣的巫永福先生在日據時代的詩吧：「未曾見過的祖國／隔着海似近似遠／夢見的，在書上看見的／流過幾千年在我的血液裏……還給我們祖國呀／向海喊叫／還我們祖國呀！」

很多人，在歷史的演變中拋棄了這種認同——「祖國」太令人失望是主因，但是也有許多人保留了這種認同，可能由於「蔣氏政權」的洗腦，但也可能出於對唐詩宋詞的深愛，或者對名山大川的嚮往，或者對傳統戲曲的鍾情。就好像今天對日本好感的臺灣人，不見得都是因為日本殖民政府的「奴化」，喜歡英國的香港人不見得都是受到英國政府的「荼毒」。那麼不論甚麼原因保留了對「中華民族」和「中華文化」認同的臺灣人，是不是就應該被視為違背「臺灣主體性」，被排除在臺灣的烏托邦之外呢？茄萣鄉的漁民、老兵、原住民、大陳婆婆、鄉下警察，因為歷史經驗不同，心中的「文化想像」可能有層層紋路犬牙交錯，他們每一個人是不是都有權利做自己的堅持呢？誰又有資格去規定他們「應該」有甚麼樣的文化想像？

## 開放社會的敵人

卡爾巴柏在《開放社會及其敵人》中對追求烏托邦的激進主義者曾經提出警告。引用柏拉圖的話，他說，想要建造國家、改造人民的激進主義者「將城邦與人民的性格當作畫布」，掌權後「第一步工作就是要**將畫布弄乾淨**。」甚麼叫「將畫布弄乾淨」？就是「根除各種現存的制度與傳統」，必要時，「以整肅、下放、驅逐、殺戮來進行『清除』」，激進主義的結果，巴柏說，通常是生靈塗炭。這是巴柏在一九四三年所說的話，預告了二十世紀下半葉共產主義烏托邦大實驗的慘烈悲劇。

烏托邦往往是一種國家想像，這種國家想像在激進者手中變成一個終極標準，來衡量一切行為的善惡。「凡是對國家有利的就是善的、道德的、正義的；威脅國家利益的就是壞的、罪惡的、不義的。為國家利益服務的行動是道德的，危害國家利益的行動是不道德的。」

這種道德邏輯，聽起來多麼熟悉。國民黨這麼教育臺灣人，共產黨這麼教育大陸人，現在又這樣告訴香港人。令人不安的是，把「國家」兩個字換成「臺灣主體性」讀讀看：「凡是對臺灣主體性有利的就是善的、道德的、正義的；威脅臺灣主體性的就是壞的、罪惡的、不義的。為臺灣主體性服務的行動是道德的，危害臺灣主體性的行動是不道德的。」熟悉嗎？這是民進黨的今日臺灣。在「畫布」上不符合這種「文化想像」的，要徹底清除，印上「正確」的符號。而「正確」與否，由黨的「文化論述」來定。

這種邏輯，用巴柏的語言稱呼，「就是集體主義的、部落的、集權主義的道德理論」。這種邏輯讓人害怕，是因為烏托邦的信仰者往往也是理想主義者，對於理想的激情，使得他們容易為自己的信仰赴湯蹈火，也嚴峻要求他人生死以赴。同時因為深信烏托邦目的的絕對崇高，所以採取的手段是否合理是否道德，就不重要；換句話說，目的的崇高性可以批准手段的卑下，可以豁免對手段的懷疑。

## 「臺灣人」變成圖騰崇拜

王美琇的文章說，「如果『臺灣人』是民族認同、公民認同與國家認同的綜合體，我們必須重新形塑甚麼是『臺灣人』。」

使我沉思的是，「臺灣人」三個字本身有任何意義嗎？「臺灣人」比「毛利人」、「菲律賓人」、「日本人」多一點甚麼天賦異稟嗎？為甚麼說「臺灣人」是民族認同、公民認同與國家認同的綜合體？為甚麼不說「公平」、「正義」、「民主」、「自由」，或甚至說「對世界第一高樓的迷戀」，而是——「臺灣人」？「臺灣人」難道已經成為圖騰，成為價值符號？

處理九一一恐怖攻擊的紐約市長朱利安尼曾經對他的國家做過同樣的提問：「我經常在想，是甚麼讓美國這塊土地顯得特別？」他的答案是這樣的：「林肯曾經說過，判斷一個人蘊含的美國成份多寡，不是憑他的家譜，而是看他對美國的理念所信奉的程度……我們不是單一種族，不屬單一血統，不講單一語言。憑藉着對民主政體、宗教自由、資本主義，以及讓每個人選擇支配金錢之自由經濟體系的堅定信念，將我們牢牢地拴在一起。**由於對生命和法治的尊重，讓我們成為美國人。**」

在民進黨的文化意識裏，判斷一個人蘊含的「臺灣成分」多寡，卻恰恰是看「家譜」、看「土地情感」、看愛不愛「臺灣」，而不是看愛不愛「公平正義」、愛不愛「法治人權」。「愛臺灣」曾經是奪取政權的手段——作為口號，它有號召力，因為它有正當性：面對國民黨長期的而且與臺灣現實嚴重脫節的大中國意識形態，突出臺灣主體性是歷史的必要，情感之所趨。但是「愛臺灣」從口號變成命令，從命令變成國家標準，有如竄出了實驗室的科學怪物，開始吞噬它所碰觸的一切。一個為矯正國民黨的偏頗而用的手段，變成了終極目的本體。而目的又被賦予道德崇高性，去合理化卑下的手段，譬如指控不同意見者為「賣臺」。

「愛臺灣」成了掌權者的道德電擊棒。

## 核心價值在哪裏？

如果在「臺灣主體性」的概念之中，被強調的是部落血緣，而民主社會的核心價值——自由的心靈，人權的堅持，對異議的尊重、對法制的遵守、對內部集權的反抗、對弱勢的照顧等等，反而被視為次要，我們究竟為甚麼要「臺灣主體性」？如果對抗中國民族主義的霸道，我們所使用的是一樣豬血噴頭的「臺灣民族主義」，臺灣的優越性何在？如果在宣揚「臺灣優先」的同時，外籍勞工被虐待、大陸新娘被歧視，政治不「正確」者被排擠，這個「臺灣優先」能被我們的良知接受嗎？如果統一無法保障公平正義的核心價值，反而使這些價值屈服在所謂「國家的利益」之下，那麼統一是我們堅決抵抗的；但是，如果因為臺灣獨立是一個「偉大」的烏托邦而在追求「偉大」的過程中，誠信、正義、公平、寬容等等原則必須被犧牲，那麼臺灣獨立又是為了甚麼？它難道不是一場自己背叛自己的「偉大」？

「臺灣人」的定義如果是唯我獨尊、排他的，那麼我恥為臺灣人。「臺灣文化」的定義如果是狹隘閉塞、黨同伐異的，那麼我一定是一個異議者。如果臺灣的國家，不論是中華民國還是臺灣民主國，變成一個壓迫性格的「集體主義的、部落的、集權主義的」政體，那麼我就是一個誓死的反對者、叛國者，因為我相信，不容許自由心靈存在的國家，就不配讓我愛，不管它的名字是「臺灣」還是「中國」，不管它有幾斤幾兩的「土地情感」。

民進黨從反對者變執政者，是走上實質民主還是假民主、真極權，有待我們觀察。至於人民，在鋪天蓋地、國家欽定的「臺灣主義」狂熱中，冷靜深沉比甚麼都重要，只有牢牢地抓住核心價值，才能檢驗所有神聖的謊言。

國家是不值得愛的，如果它不容許人們不愛它。

寫於二零零四年五四，於香港

原載於二零零四年五月十二日香港《明報》

# 誰，不是「天安門母親」？

——獻給丁子霖

為天安門屠殺十五週年而作

一

十五年前，我是一個懷孕的女人，在不可預知的機緣裏，走了三個廣場：北京的天安門廣場，東柏林的亞歷山大廣場，莫斯科的紅廣場。那是動盪的一九八九年。為了紀念「五四」運動七十週年，我來到北京。清晨時刻，霧，還鎖着昏昏的建築，覆着疲憊的人群，廣場在朦朧中卻顯得深不可測，像秘密無聲的山谷。

但是你知道山谷不是空的，一波一波的迴聲湧動，推着歷史的隆重自轉。一八九五年甲午戰敗後的呼喊，在一九一九年一戰之後得到呼應；一九一九年的呼喊，「要民主，要科學，要國家富強」，在一九四九年得到莊嚴的呼應：「中國人民從此站立起來了！」對着一九四九年的莊嚴誓詞，一九八九年發出呼喊——

沒有人想到，回應誓詞的是屠殺的槍聲、坦克的震動，和長達十五年的滅音。

可是亞歷山大廣場上人潮洶湧，上百萬的東德人每天上街，高舉着拳頭，要求開放邊境，要求民主自由。突然之間天安門的槍響傳來，德國人走在街上，臉上有血色的憤怒，但是心裏有白色的恐懼：天安門的屠殺，是否也會在東柏林發生？

我到了柏林城外，想感覺一下鄉村的情緒。中午的太陽辣辣地照着，小村廣場上只有一隻老狗趴着打盹，看起來安詳靜謐。但是在廣場地面上，有人用粉筆畫了甚麼，白白的一片。我走近去看，畫的是一個中槍倒地的人形，四肢呈「大」字打開，中間用德文清楚寫着：「天安門，六月四日」。

又過了幾個月，我在莫斯科的街頭。成千上萬的人，孩子騎在父親的肩上，母親推着嬰兒車，白髮蒼蒼的老年人手挽着手，大聲呼喊：「自由！自由！自由！」白色的布條橫過整條馬路，用各種文字寫着：「我們不要天安門！」每一條橫巷內都藏着軍用卡車，卡車裏塞滿了全副武裝的士兵，緊抱着槍，全神戒備。

我懷孕的那一年，柏林圍牆被人民推倒；蘇聯帝國轟然解體。事後，我們知道，當呼嘯的人民像洪水一樣自街頭流過，這些黨的領導人躲在高樓的辦公室裏激烈地辯論是否也採用「天安門模式」來保住政權。但是天安門的屠殺太過殘酷，給世界的震撼太過劇烈，被過於巨大的罪行所震懾，兩個城市的領導人，在最緊迫的時刻，按住了槍口。

柏林圍牆崩潰前夕，東德領導階層亂了手腳，譬如說，對試圖越牆逃跑的人民，是否還是一律「格殺」？一個高階領導後來回憶說，「當時，我就給自己立了一個分清是非的標準：天安門發生屠殺時，你是站在哪一邊？站在人民這一邊的，就是對的。這麼一想，我就知道該怎麼辦了。」

北京的天安門，成為動盪中的東歐用來判別是非的準則、分辨真假的測謊器。

是的，你可以說，中國的血染大地成就了東歐不流血的革命。

## 二

十五年之後，在香港一個高貴的晚宴上，我遇見了這麼一個姿態優雅的上海女性，從美國留學歸來，在香港公司任經理，用英語說，「六四？不過是中國進步過程裏打了一個飽嗝罷了！」

中國的「進步」，在她身上那麼清楚地呈現：經濟的起飛已經培養出一整代欣然自得於個人成就而對「六四」一無所知的人。或者並非一無所知，但在物質追逐的遊戲中早已接受了一種邏輯，就是說，沒有鎮壓，就沒有今天的進步，鎮壓是進步的必然條件。對更年輕的一代而言，「六四」屠殺則根本不存在。歷史的殺人滅跡，由國家執行起來特別專業、特別有效。

中國在「進步」，像一個突然醒過來的巨人張開大步在趕路，地面因他的腳步而震動。民間社會的自主空間逐漸拓寬，民權觀念悄悄萌芽，經濟的發展更是舉世側目。二零零八的北京奧運、二零一零的上海世博，還沒有發生，但是僅僅是預期就已經使得許多中國人覺得光彩萬分，心中滿溢着強國盛世即將來臨的自豪感。

然而有多少人看見，巨人是帶着一個極深的傷口在趕路的？

「六四」的鎮壓，使得無數的中國菁英流亡海外。詩人、作家、思想家、科學家、經濟學者、未來的政治領袖人才……這些中國最優秀的頭腦、最細緻的心靈，被迫留在異鄉的土地上，幸運者成為別國的文化養分，不幸者提早凋零殞滅。

沒有一個真正富強的國家不把人才當做國寶的，或者應該倒過來說，不把人才當做國寶的國家，不可能真正富強。回首五十年，一整代菁英被「反右」所吞噬，又一整代被「文革」所折斷；「六四」，又清除掉一代。五十年共產黨的歷史簡直就像一隻巨大的篩子，一次一次把國家最珍貴的寶藏篩掉。一路拋棄寶藏，巨人你奔往哪裏？

或者說，「六四」被放逐的是少數，而且中國大，人才無數，反正篩掉了又有新的一代冒起。

再多的麥子若是掉在石礫裏，也是要乾枯的，所以麥子多寡不是問題，土地的豐潤與否才是。只有當國家以制度來保護「獨立之精神、自由之思想」時，人才才可能像麥子落土悠然茁長，然而只要鎮壓「六四」的道德邏輯還在——這個邏輯將對於黨的忠誠淩駕一切，將粗暴的權力視為當然——那個制度就不存在，人才也無從煥發；集權的邏輯是一把鎖，鎖住整個社會結構，讓自由的心靈、爆發的創造力、無邊的想像力處於不能動彈的地位。

高樓越來越多，道路塞滿了汽車，商場人頭攢動，飛彈戰機精良耀眼，奧運世博國威赫赫，這些或許都是值得自豪的成就，但是有兩個問題不能迴避：第一，它是以甚麼代價換來的？那個代價可以不償還嗎？第二，它是可長可久的嗎？沒有「獨立之精神、自由之思想」的保障，就不會有真正對弱勢的照顧、對異議的容忍、對強權的反省、對法治的尊重、對人道的堅持、對正義的當仁不讓，也不可能在文化藝術的創作上登峰造極……缺少公平正義、缺少溫柔力量、缺少自由精神的國威赫赫，難道是中國人真正的追求嗎？

「六四」屠殺，不是中國這個巨人打了一個飽嗝，而是巨人身上一個敞開潰爛的傷口。傷口一天不痊癒，巨人的健康就是虛假的，他所趨往的遠大前程，不會真的遠大。

## 三

十五年過去了，誰看得見這個傷口？

國際看得見。

一九九四年，我還在海德堡大學漢學系任教。突然發現那一年的研究生數目驟減，幾乎開不成課。我們很納悶，幾經推敲，找出了原因：九四年進研究所的，大致是一九八九、九零年間進大學的人。天安門發生屠殺後，那一年漢學系幾乎收不到學生。對中國的失望和厭棄，使得歐洲學生拒絕漢學。

十五年來，歐洲人忘了「六四」嗎？中國的市場，以及藉由市場所展現的國力「崛起」，贏得了國際的尊敬嗎？中國的電視鏡頭跟着領導人出訪，讓人民看見，譬如説，法國總統鋪排的紅地毯禮遇，但是鏡頭刪掉的，是法國文化界、知識界、民間團體對中國人權的抨擊。各國政府紛紛來到中國競爭市場，但是尊敬？對不起，沒有人會尊敬市場的；這個世界再怎麼現實再怎麼野蠻，最終贏得國際尊敬的，不是市場或武力，而仍是一個國家文明和道德的力量。今天美國失去好大一部份世人的尊敬，不是由於它的國力減弱，而是由於虐囚事件暴露之後它所喪失的道德立場。中國要得到泱泱大國應得的尊敬，不在於市場之大，國土之廣，人口之多，而在於它道德擔當的有無。

「六四」使中國的道德破產。

沒有忘記這個傷口的，還有臺灣人，還有香港人。

中共的領導人一定問過自己：為甚麼用「血濃於水」的「民族大義」跟臺灣人講不通？為

甚麼對香港釋出了大量的利益，香港人仍舊若即若離？領導人願不願意面對這樣的答案：臺灣人抗拒，香港人掙扎，和「六四」的道德破產是緊密相關的。

對於香港人而言，今大可以釋出的利益，是明天可以收回的威脅。二十三條帶來恐慌，難道和「六四」的血腥記憶無關？對於臺灣人而言，聽一個對自己人民開槍的政權大談「民族大義」、「血濃於水」，除了恐懼和不信任之外，還可能有其他的感覺嗎？

「六四」屠殺代表權力的野蠻，理性的喪失，人性的沉淪，只要一天不平反，它就一天刻在北京政府的額頭上。帶着這樣的「黥面」，你如何以文明的姿態去和臺灣人或香港人談「統一」、談「愛國」？簡單地說，你，如何讓人相信？這個沉重包袱，對於力求改革的新領導人或許不公平，但是政治責任本來就是「概括承受」的，不是嗎？

如果有人以為「六四」僅只是那一小撮流亡海外「不成氣候」的民運分子的事，關係不大，那就真看錯了。「六四」平反不平反是一個良心的測謊器、道德的試金石，更是兩岸政治和解路上一塊觸目的絆腳石。北京政府如何對待「六四」，意味着它是走向民主自由還是繼續極權統治，也關鍵地影響臺灣人對中國的態度。馬英九在兩年前紀念「六四」的文章中有一句話：『「六四事件」必須平反，這必將是大陸民主化與兩岸政治統合成敗的重要指標。』對於許多臺灣人來說，兩岸的對峙，民進黨不是問題所在，臺獨不是問題所在，真正核心的癥結——北京領導人不可能不清楚——是中國本身的民主化進程，而「六四」，是一個人們每天看着、無時暫忘的指標啊。

遮掩傷口所引起的最後的全身敗壞，我們是目睹過的。二二八的流血事件被國民黨遮蓋了四十年。四十年中，家破人亡的痛苦無處申訴，流亡海外的委屈無法紓解，仇恨因為掩藏而更加深化；四十年後，國民黨固然因而失去了政權，人民也被一種積累的苦大仇深所撕裂，所折磨。

「六四」敞開的傷口已經被掩蓋了十五年；是搶時間盡快把蓋子打開，讓它在溫柔中癒合？還是繼續掩蓋，讓它在緘默中潰爛？

## 四

今天，二零零四年六月四日，晚上八點，我會去維多利亞花園點亮一盞蠟燭，追思「六四」的亡魂，帶着我十五歲的孩子。在我胎中時，他曾經陪我走過三個廣場，看人們用肺腑的力量在呼喊，不同的語言——德語、俄語、漢語，卻發出一樣的聲音：「民主自由！」而如果孩子說，「母親，我有自由啊，『六四』和我沒甚麼關係」，我想我會這樣告訴他：

孩子，你是否想過，你今天有自由和幸福，是因為在你之前，有人抗議過、奮鬥過、爭取過、犧牲過。如果你覺得別人的不幸與你無關，那麼有一天不幸發生在你身上時，也沒有人會在意。我相信，唯一安全的社會，是一個人人都願意承擔的社會，否則，我們都會在危險中恐懼中苟活。

對於那些死難的人，我們已經慚愧地苟活；對於那些在各個角落裏用各自的方法在抵抗權力粗暴、創造心靈自由的人，孩子，我更覺得徹底地謙卑。

為了你，孩子，不會有一天上了街就被逮捕或失蹤，我不得不盡一切的努力，防止國家變成殺人機器，不管我們在哪一個國家。

在這個意義上，告訴我，誰，不是「天安門母親」？

本文在二零零四年六月四日同步發表於臺北《中國時報》、香港《明報》、吉隆坡《南洋商報》及美國《世界日報》；新加坡《聯合早報》於六月七日刊出

# 民主大道四公里

## ——為香港人喝采

### 從灣仔到中環

二零零四年七月一日在香港氣候史上據說是一百二十年來最熱的一個七月一日。三十五度的高溫，加上揮發不去的熱帶濕氣，使得這一天的香港像一個沒有排氣孔的紅火騰騰大蒸籠。人在街上走着，棉衫濕搭搭黏在身上，汗水鹹鹹流進眼睛，毛髮在蒸發冒氣，額頭發昏，兩頰發燙。

人們是有備而來的：白色上衣，短褲，球鞋，頸間一條毛巾擦汗，背上一個背包裝水。做父親的把孩子扛在肩上，做母親的推着嬰兒車。最多的，是三十歲上下的男子，臉龐還有年輕人線條分明的稜角，眼裏卻透着一種篤定和安靜。香港人的平均年齡是三十七歲，一眼望去，彷彿最典型、最能代表這個島城的香港人在同一個時刻全走出了家門，走到了街上，讓你看見。

人潮像一條坦坦蕩蕩的大河，像一灣沉沉鬱鬱的火山岩漿，緩緩流動。走了三公里，到了金鐘，道旁景觀一變。紅紅綠綠的招牌——「西貢湯河」、「宗親總會」、「氣功推拿」、「美心西餅」……突然變成現代摩天高樓——太古廣場、力寶大樓、中國銀行、匯豐銀行、長江集團中心、萬國寶通銀行，而這七一行走的終點，是政府總部。四公里路，從充滿底層市民生活色彩的灣仔，經過象徵資本主義和強勢全球化運作的中環，到突起在山崗上往下俯視的、代表統治權力的政府，我發現，啊，這條遊行路線本身難道不就是一個明明白白的宣言嗎？

## 香港人的「冷」

我在羅馬看過幾萬人反戰的遊行，在莫斯科看過數十萬人要求民主的遊行，在東柏林看過上百萬人要求民主統一的遊行，在北京看過一九八九年的學生遊行，在臺北看過大選前大選後的造勢和抗爭集會，沒有一個城市的集會遊行像香港這樣靜，冷。

羅馬的遊行有嘉年華會的熱鬧；人們跟着熱情的音樂節奏邊跳舞邊行走。莫斯科和東柏林的遊行像颱風來襲前刻的沉重抑鬱，一觸即發前的緊張凝聚。北京的八九遊行有一種狂喜的等待、激情的盼望，和傳染似的同盟情感。臺北的集會，在選前是熱情澎湃，在選後是慷慨激昂。

高音喇叭、尖聲汽笛和鍋碗瓢盆不足以表達心情的激越，加以擊鼓，加以敲樂，加以奮不顧身的吶喊狂號。

香港人，靜靜地坐地鐵而來。地鐵車廂中，從衣服、從背包上「董建華下臺」的貼紙，看得出一車都是志同道合的人，但是沒有人搭訕說話。到了維多利亞公園，靜靜地等候出發。隊伍經過教堂，有人發送礦泉水，送的人不說甚麼話，接的人也不言謝。人們肩並肩走在街上，除了時不時幾聲「還政於民」的呼喊，卻並不拉幫結派、交頭接耳，不唱歌，不起鬨，不喧嘩；原來就互不相識，現在也不特別熱絡。各走各的，好像專心在辦好一件事情。走到終點政府大樓前，也沒有特別的激動。事情完成，轉身去找冰果店，然後坐地鐵回家。地鐵車廂中，滿滿是「四公里同志」，但是沒有人搭訕說話。靜靜地，回家。明天又是一天。

即使是「六四」十五週年的燭光集會，有人垂淚，有人默哀，但是沒有激越。香港人「冷」得出奇。但是，你能說他「冷」嗎？「冷」的人會在華東水災時做那樣熱烈的人道捐款嗎？「冷」的人會在六四時那樣認真執着地組織救援嗎？「冷」的人會在臺灣大地震時那樣慷慨地解囊付出嗎？

「冷」的人會在三四十度的高溫下一語不發地埋頭走完四公里路嗎？

香港人表現得那麼「冷」，其實心裏有着巨大的熱情。那份表面上的「冷」毋寧是一種羞怯或者內斂。令我思索的是：香港人作為集體之不善於表露感情和殖民的歷史有沒有關係呢？

## 公民社會，於焉而生

我認為是有的。

一個集體若是善於表達感情，通常是由於這個集體已經「練習」了很長的時間；集體內部所屬的「分眾」——經濟階層不同、利益和主張不同、文化養成和價值觀不同、歷史認同和信仰不同的種種小團體，經過長期的溝通或爭吵、對峙或合作，已經彼此瞭解、相互影響，從而逐漸發展出一套彼此都熟悉的對話、相爭和互動的模式，這時「分眾」同時成為有共性的「大眾」，也就是一個懂得如何表達感情的集體。譬如臺灣人臉紅脖子粗的激昂爭吵，看起來只是不加思索的感情衝動，其實團體和團體之間非常清楚要用甚麼樣的語言動作、甚麼樣的明示或暗示，能打動甚麼樣的群體。因為有長期而密切的互動，臺灣人逐漸變成一個很善於表意的集體。

香港卻一直是一個分眾社會，由無數個小圈圈組成，圈圈之間相當疏離。以英語思考的菁英和大陸來的中國知識分子之間，有兩套截然不同的話語。知識菁英和街市裏買菜賣菜的灣仔小市民之間，好像互不相干。灣仔的小市民和深水埗的大陸新移民之間，儼然又是兩個世界。商人主宰着社會政策，卻又和所謂社會有深深的鴻溝。

水靜，才能流深，香港卻一直處在浮動的歷史中。中國一有戰亂，人就湧進來；戰亂一過，人就流回去，或者，稍做不得已的停留，然後奔往更嚮往的西方。太多人將這裏當作跳板或客棧，無數的移民流出去，又有無數的難民流進來；移動中的「分眾」一直沒有足夠長久的歷史時間沉澱，「練習」互動，從而變成有共識的「大眾」，有默契的集體。殖民者為了統治的便利，更不會樂意去培養一個有共識、有默契的民間社會。

香港人作為集體所流露出來的羞怯和內斂，其實反映了他的歷史路程。帶着這樣的理解來看，此刻正在發生的遊行，就有它石破天驚的深層意義了。北京或許不會「還政於民」，零七零八年或許不會有普選；特區政府或許仍舊短視而無能，商人或許仍舊強勢治港，但是香港的民間社會會發生不可回頭的質變：它一向彼此疏離的「分眾」小團體透過持續的抗爭或協商，會逐漸地認識彼此，摸索出一套對話、相爭、互動的模式，公民社會於焉而生。

## 「我是香港人」

我們其實已經看見一個雛形：在遊行隊伍中，除了政治團體之外，有很多大大小小非政治團體的參與——性工作者團體、工人團體、婦運團體、外籍勞工團體、反財團壟斷團體、宗教團體、文化保護團體、環境生態團體……向北京要求權利的政治訴求固然是主要的共同的大旗，但是在組織過程中必定會產生兩個「副作用」：一個是香港人的權利自主意識會逐年加強，另一個是，各個「分眾」小團體從不斷的摩擦和接觸中學習到協商和對話的民主操作技術，從密集的來往中又加深了對彼此的認識和信任。這兩個「副作用」其實正是民主運動的核心目標，意義極其重大。

從這個角度思索，那麼七一之前所發生的所有的事情都是好的：「愛國論」突然的高揚使人們看清了自己今日的歷史處境；廣播名嘴的封咪事件使人們清楚知道自己害怕失去的是甚麼；普選權被剝奪使人們明白自己應該堅持的又是甚麼；「核心價值」的提出以及所引發的辯論是任何一個公民社會躲不掉的靈魂探索；劉千石和司徒華的路線分歧凸顯了策略的多元以及辯論的必要；「六四」集會的八萬人彰顯了香港人的道德立場……

而今年的七一，沒有去年二十三條的刺痛，北京又不斷在接近七一的日子裏講動聽的話；「希望香港陽光更燦爛」，碰碰酒杯，拍拍手，對準鏡頭笑一笑。但是五十萬香港人證明給世界看的是：他並不依賴外面的刺激來決定自己的行為。棍子不能嚇他，胡蘿蔔不能哄他。

所以七一的五十萬人，與其說是香港人想告訴北京「我要甚麼」，不如說是香港人終於用最明確不移的語言，自己告訴了自己：「我是甚麼！」香港人或許還沒有充分的論述和深掘的史觀來建立香港人的身份認同，但是走在七一大道上的人們，即使一言不發，從心底浮起的每一吋驕傲和感動都在加深香港人的身份認同，每一個腳步都在證實自己和這個島城的命運同體。

這不是一九九七年來第一回，這是一百六十五年來第一回。

## 從「皇后大道」到「民主大道」

道路收窄，隊伍稍頓了一下，我剛好站在一條白色的大橫幅下面，轉過身來讀橫幅上的大字：「香港無民主，統一沒希望」。幾個中學生自我身邊走過，隊伍又動了。這是皇后大道中。

從維多利亞公園出發，進入軒尼詩道，轉皇后大道中，到政府總部，四公里。短短四公里卻是香港人百年民主之路石破天驚的起點；維多利亞女皇早已不再，軒尼詩總督還要紀念幾年？所以，董先生，為甚麼不把這四公里改名為「民主大道」？

寫於二零零四年七月一日沙灣徑二十五號

# 誰把蠶絲當鐵絲

## ——我看馬英九訪港被拒

邀請馬英九市長來港大演講，我是「當事人」，「當事人」不能兼評論者，因此我自己取消了自己「兇悍」評論的權利，這篇文章僅只是一個「當事人」的感觸。

我在港大設計了一個論壇，取名「思索香港」，英文是「Rethinking Hong Kong」；為甚麼香港需要「思索」，需要「重新思索」？

因為在經過了一百五十年的英國殖民之後，香港需要重新考慮自己的文化定位。因為在一九九七年回歸之後，香港需要重新理解自己的感情認同。因為在中國經濟「崛起」的大趨勢裏，香港需要尋找自己地位的獨特之處，加以發揮。因為在全球化的衝擊中，城市的主體性被突出而國家的界線變得模糊，香港需要思索如何運用自己的城市優勢。

在這樣的思維下，「思索香港」論壇的第一講是龍應台的演講：「香港，你往哪裏去？」以「旁觀者清」的角度坦誠地、全面地，當然也是「自以為是」地，偏頗地，提出我對香港文化與政府的批評。第二場則邀請了廣州、臺北和香港兩岸三地的作家和副刊主編面對面討論「華文報紙的文化承擔」，就三個華人城市不同的歷史發展和經濟、文化條件，交錯視野，放眼看二十一世紀的文化前景。

馬英九的演講，是「思索香港」的第三場。「從臺北看華人城市的興起」是他自己訂的題目，意圖從臺北的文化發展軌跡來眺望香港、新加坡、北京、上海、吉隆坡等等城市的交流和結盟可能。他準備談在都市發展的同時如何求得古蹟的保存，準備談市政建設如何不忽略人文的關懷，準備談文化在政治和官僚行政裏應該佔有甚麼地位。港大同仁甚至將香港西九龍的剪報資料傳真給他，以便他更深刻地瞭解香港本身正在關注的問題，他的演講或許可以為香港帶來最實際、最切身的參考價值。

平常發出的邀請信函，忙碌的香港人會遲遲回覆；馬英九的演講邀請函一發出，回函搶着進來。人們生怕一遲就得不到位子。口耳相傳，沒收到邀請函的人紛紛來電話索位。空氣裏有一種期待。

所有，所有的努力都無法挽回港府的決定。作為「思索香港」論壇的主其事者，我是不是也要像別的當事人一樣，説一句外交辭令「深表遺憾」呢？

不只遺憾。我覺得扼腕。馬英九來不來香港其實不是那麼重要，但是從這件事情的決策過程，可以看得出香港政府的承擔和格局在哪裏，可以看得出北京處理兩岸政策的文化水準和文明程度在哪裏。

如果「拒發簽證」的決定是北京做的，它就很粗糙地暴露了港人治港是一個虛假的幌子，暴露了「一國兩制」其實只有「一國」沒有「兩制」。如果媒體的揣測是正確的——馬英九因為批評了〈反分裂法〉或者因為對陳水扁的「正名」運動不加撻伐而遭排拒，那就顯出北京對臺灣的政治生態和人心所思完全地盲目無知，鴻溝之深，令人搖頭。

臺灣人對中國的情緒裏，因為每個族群歷史處境的不同而混雜着從淺到深的多色調的情感，從強烈的愛戀認同到強烈的排斥敵視；再加上，民主的開放體制使得「尊重不同政見」已經被大多數臺灣人接受為最高的道德價值，因此臺灣人的「統」和「獨」的立場是一個極其複雜的綜合體，不是任何一個斬釘截鐵的簡單陳述可以概括的。堅決「獨」的人很可能深愛中國文化；主張「統」的人很可能強烈反共；支持陳水扁的人很可能非常具有國際觀；投票給國民黨的人很可能極為鄉土。愛馬英九的人很可能痛恨國民黨，痛恨陳水扁的人很可能支持民進黨。「藍」和「綠」裏頭摻了「黑」與「白」的認知以及對「紅」的濃度。北京是否瞭解這個複雜的光譜，又是否嚴肅地估算過，拒發馬英九簽證，給臺灣人送去甚麼樣的訊息？它使臺灣人更認識到北京的文明程度嗎？

**人心，是蠶絲和鐵絲的交織揉合，政治的藝術就是一種細微的、體貼的、深刻的、抽絲剝繭的能力。**北京的決策者不認識到這個基本原則，簡單的眼中只看到鐵絲，看不見蠶絲，但是把蠶絲當鐵絲硬扭，在別人眼中簡單就變成野蠻。兩岸的前景，令人憂慮，令人悲傷。

如果拒發簽證的決定是香港做的——很少人相信是這樣的，但是如果是這樣的，它就暴露了香港決策者的短視和完全的缺乏擔當。香港是甚麼？它是整個中國地區裏最具國際經驗、最瞭解人權和法治、最自由也最崇尚自由的城市。香港政府中有多少人在倫敦讀過學位？多少人是法律系畢業的？這些菁英，難道會不瞭解，香港如果不努力維持自己的國際觀，自己的法治基礎，自己的人權價值，自己的言論自由和決策自由，也就是說，一個相對自主的「香港空間」，很快地，香港就成為華南一個普通的中國城市，所有歷史為它累積的優勢，都要失去，被上海、被深圳、被珠海取代？

這些菁英，難道會不瞭解，香港的優勢之一，正是它實體的地理位置，介於兩岸之間；也在於它的抽象歷史位置，它比北京更熟悉現代的公民社會和民主政治的運作，又比臺北更熟悉中國的體制和習性，因此它可以在僵持的、敵對的、互不瞭解的北京和臺北之間，發揮一個時代所賦予它的歷史的任務？

對兩岸關係做出和平的貢獻，香港有一個特殊的地理和歷史地位可以發揮，這些政府菁英難道都看不見？促進兩岸的深度理解，香港應該做的不是「多一事不如少一事」的懶惰官僚思維，更不是對北京決策者的立正站好唯唯諾諾，而是以香港的國際知識、以香港的公民社會素養，以香港的政治成熟水準，去對北京誠實地說出自己的看法，協助北京做出比較圓熟的決策，為兩岸窒息的溝通爭取創造出一個寬闊的平臺。香港人民不這麼做，對不起華人世界。香港政府不這麼做，對不起香港人民。

我真的不在乎馬英九來不來香港，但是真的在乎，蠶絲被當作鐵絲對待。

二零零五年一月六日

# 黑色玻璃罩

在香港住得愈久，愈是能體會甚麼叫做「有自由，但沒有民主」。

經濟上，香港的自由世界第一。自由港的傳統允許全面的貿易自由，進出口一般商品不收關稅。企業經營完全自主，市場自動調節供求，政府不加干涉。沒有外匯管制，外匯、黃金，在這裏自由地進進出出。金融市場完全開放，本地銀行和外國銀行平等競爭；只要合法開業，任何銀行可以在這裏從事任何境內境外的金融活動。

貨品、外匯、黃金以及人員的自由進出，造就了香港的繁榮。自由港的多元、開放，政府的「不干預」經濟政策，也使得外人對香港的「自由」印象深刻。自由，很理所當然地，就被解釋為：政府很小，民間很大。

帶着這種過度簡單的對「自由」的想像，來到香港，住下來，東看看，西看看；沒幾個月，大大吃了一驚。我看見的，卻是另一個香港：民間很小，政府很大。

譬如說，香港的文化藝術活動很多，從莎士比亞的《奧賽羅》到《帝女花》的粵劇，百花齊放，彷彿是一個生氣蓬勃、民間力量活潑的城市。仔細一點就發現，幾乎所有的活動都是政府組織的，花的是公家預算，由民間自發自主的其實非常少。在文化多元、民間強大的表象之下，其實是政府獨大的單一。

譬如說，我看見一個地方叫「數碼港」，在港島美麗的海邊。名稱叫「數碼」，想必是個為發展數碼科技而開發的科學園區。但是與科技有關的辦公大樓只有一小塊，房地產建築卻是一大塊，而且地產買賣的廣告巨大無比，看房子的買客絡繹不絕，數碼大樓那兒卻空蕩蕩的，鳥兒飛到地面來搶啄掉下的麵包屑。怎麼回事？

香港人一臉的無可奈何，原來政府口口聲聲說這塊地大部份是科技用地，沒想到卻把大部份批給了一個特定商人，變成那個商人的昂貴地產。當然一切都看起來合法，我就笨笨地追問：奇怪啊，那麼記者怎麼不去做跟蹤調查報導？政府的監察系統為甚麼不去查明責任？議員為甚麼不去調出所有的財務報表，為甚麼不要求檢閱所有的合約內容？你有太多團體可以監督政府啊。

每個香港人都給一個不同的答案，但是所有不同的答案其實最後又都匯到一個答案：要不到內部資料，政府不給就是不給。

我覺得納悶：哪有那麼強大的政府啊，又不是共產黨？

原來港英政府時代，決策就沒透明過。回歸了，一切依舊。

然後又發現九龍海邊有塊空地，「填海多出來的，」香港人説。四十公頃地，最燦爛的海景。政府已經決定要在那裏建四個博物館、三個表演廳，然後用一個大得不能再大的棚子將全部罩起來。咦，我説，政府又怎麼知道香港需要四個博物館、三個表演廳？政府又憑甚麼敢決定建一個大到不知如何修理、不知要花多少錢維護的巨無霸大屋簷？政府怎麼知道那麼多，敢做那麼多啊？

香港人一臉的無可奈何，説，我也不知道。

然後就是馬英九事件了。港大新聞及傳媒研究中心邀請馬英九來演講，港府發給他的兩個幕僚簽證，但是不給馬英九簽證，整個華人世界為之譁然。新聞事件通常只有一兩天的熱度，第三天就像髒的洗碗水一樣咕嚕旋轉着消失在水槽出口，但是馬英九的消息鬧到第八天，還繼續發酵。媒體對港府的抨擊持續猛烈。

同樣的事情在臺灣，馬英九或陳水扁會被媒體「堵」到不行。人們會不斷地看見市長或總統在電視螢幕上，被成堆的麥克風粗魯地壓近臉龐，尷尬地或不情願地，被迫對媒體做出解釋，對人民做出親口的、不容閃避的「交代」。政府部門在議會或國會的壓力下，早就將通話記錄或者證件影本交出，供民意代表檢驗政府官員是否説謊。決策過程早就在媒體和議會的「審問」下，一個一個環節曝光。

但是在香港，到了第八天，所有的問題：究竟決策是誰在做，不發簽證的理由為何，決策過程是甚麼，「一國兩制」怎麼「圓」這個事件，港臺關係如何走下一步，已造成的傷害如何補救……政府到第八天仍不做任何解釋。董建華，沒有一次被記者「堵」到，沒有一次發言，沒有一個字的「交代」。整個社會，在猜測，猜測，猜測。沒有人敢去質問特首，特首也不覺任何壓力。好像有一個黑色的玻璃罩，牢牢地罩着政府，外面的人民墊起腳尖拚命想看見裏面，焦急而不安；裏面的官員就是不出來，安穩，篤定，傲慢。

於是我發現，自由與民主，差別就在這裏：沒有民主的自由，或許美好，但是政府賜予的，他可以給你，也可以不給你。所謂民間力量，看起來很大的，不見得是真的。

原載於二零零五年一月十四日香港《蘋果日報》

# 盆栽香港

## 種子

如果你撿到一粒種子，像一顆花生那麼小。它若是冬青灌木的種子，長大了就是一株矮矮冬青，讓人們拿去做花園的籬笆。它若是喬木榕樹的種子，長大了就是參天大樹，讓人們仰望；澎湖島上有一株古榕，綠陰濃鬱，面積大到可以覆蓋一整個村子。可是，榕樹的種子如果不是掉進遼闊深厚的大地而是落入一隻土盆，它就變成盆栽，可愛，放在桌上讓人賞玩。

## 沒事

來到香港最大的驚奇就是，香港給外界的形象是小政府，然而當你從裏面看它，卻赫然發現：剛好相反，這個政府啊，好大。

它可以突然決定要花一億港幣去辦一個「海港巨星匯」，說是要把被SARS嚇跑的觀光客吸回來。臺北就「突然」不起來，因為這一億元必須事先在前一年編列，而且得到議會審查通過才可能動支。

「海港巨星匯」的活動辦得很差，花了天價請來國際演藝者而往往賣座不到四成；經費支用程序不清，賬目不明，效率不彰，民眾和媒體罵聲不絕，批評不斷，甚至立法會做了專案調查，舉證無能和浪費。你以為負責官員非下臺不可了——不，它沒事。

西九龍計劃是一個佔地四十公頃，投資兩百五十億，興建四個博物館、三個演藝廳，關係到香港二十一世紀文化發展的重大規劃，政府本身竟然沒有任何宏觀的文化藍圖，也沒有對現存文化資源的全面科學調查研究，而將整個規劃交給地產商去處理。文化界憂慮，傳媒界批評，學術界建議，你以為政府不得不開始檢討文化政策的問題了——不，它沒事。

紅灣地產事件中，人們懷疑政府圖利特定財團；數碼港事件，人們驚訝怎麼資訊發展園區變成了房地產割據；你以為，這麼大的利益輸送疑案，一定會有翻天覆地的媒體跟蹤追查，一定會有劍及履及的監察系統責任追究，在這些壓力來到之前，政府本身一定會努力自清——不，它沒事。貝沙灣的面海獨棟小洋樓一戶一千萬美元。

# 小雞

去看候選人論政。你以為，候選人會告訴市民，他將如何以自己所熟悉的專業去監督政府某一個特定的部門。譬如社工背景的候選人可能鎖定政府的社福政策；教育背景的可能要批判政府的教改藍圖；勞工出身的可能強調要為六十五萬邊緣勞工發聲；關心文化的候選人可能揚言要追究政府的歷史古蹟保護政策；會計專業者可能鼓吹他要如何地檢驗政府預算，一毛錢也不讓浪費。

這些，發生得很少。選舉造勢由單一的一件事定位：香港對北京的反應。零七普選不普選，六四平反不平反，一黨專政不專政，要「保皇」還是要「倒董」，所有的黨派其實都站在同一把北京刻定的尺上，量自己跟北京的距離。所謂選擇的自由，就是選擇如何在北京巨大的投影下有尊嚴地生活。

香港和臺北的歷史處境，何其相像。

然後評論家紛紛說，候選人或者政黨完全沒有提出自己的施政綱領，看不見政策，只看見政治。

是的，真的只有政治，沒有政策。但是，這樣的評論，仔細想想，好像又有點不對勁。這些人究竟在選甚麼？市長嗎？特首嗎？施政綱領，政策，是行政者要提出的，不是監督者。需要對人民交代他的經濟政策、交通政策、福利政策、文化政策，而且每一項政策要被人民檢驗的，是董建華，不是立法會。

立法會只有監督權，沒有行政權，因此要求議員候選人提出「政策」，是一種錯置的期待。

然後你又發現，第一，在基本法七十四條的緊箍下，香港立法會等於沒有立法權；第二，它的監督權非常狹小；第三，有一半的議員不經直接選舉，不直接代表民意。也就是說，這麼超級大的期待其實是投擲在一個超級小的對象上，好像圍了一整圈人熱切焦慮地注視一隻跛足小雞，要它叱吒而起，鵬飛萬里。

你總算知道香港人為甚麼七一上街了。七一，就是一圈人圍看跛足小雞的放大儀式。

## 長毛

長年來抬棺材衝衙門、指着董建華鼻子怒罵的莽漢梁國雄，長毛，進入了議會，使平淡無味的香港政治多了一點卡通式的幽默，好玩多了。一想到這江湖一怪將以他的「丐幫」氣質去面對一群矜持有禮、優雅喝下午茶的「英國紳士」，很多人可能在吃吃偷笑。但是，背後隱藏的嚴酷你不能不想到。

臺灣人可是上過課，吃足了苦頭的，到現在還笑不出來。他們曾經擁護反對黨派去拉倒獨斷濫權的當權者，曾經支持過火爆議員跳到議事桌上折麥克風、丟茶杯，也曾經期待過當權者本身進行改革；人民確實爭到很多從前不可想像的權利，但是在過程中，他們同時發現：反對黨一旦得權，一樣地獨斷濫權；火爆的批判者只會反對，不會論政，只懂得「破」，不懂得「立」，很快就被社會淘汰拋棄；而當權者主動改革？門兒都沒有。

長毛當選，除了「倒董」的情緒之外，可以被解釋為香港社會成熟的表現，它寬容異類，接受多元。然而接踵而來的考驗，才是真的：「破」是手段，「立」才是目的。「長毛文化」如何從「破」到「立」？

梁國雄說，市民選他是要他「直斥權貴」，而不是要他加入「既無聊，又悶到嘔的事務委員會、法案審議委員會」等等，因此他不會加入這些事務。似乎長毛還沒從選舉的熱切抽身開始思考：從梁山泊打入縣府衙門或許需要勇猛，但是要在衙門案前坐下來做縣官，需要的是甚麼？民主體制、公民社會倚賴的是嗆嗆呼呼的英雄氣概，還是紮紮實實精審預算、研究法案的專業精神？「無聊」、「悶到嘔」的事務深入，恐怕正是民主的精神所在吧。

凡是打着民主旗幟的反對者，越是受當權者打壓，越容易得到人民的精神支持，越是凸顯出自己的道德光環。人民的支持和道德光環又往往使得這些民主派反對者自覺自己是站在歷史正確的一方，對自己的正當性產生高度信心而忽略了一件事：有一天，當自己掌權時，他的能力、道德、擔當，都不一定通得過考驗。

民主黨變成第三黨，不見得是壞事。北京學會了讓抹黑敵人的負面操作和討好大眾的正面宣傳交錯運用，在甚麼時間點讓甚麼事情發生、上報，雖不光明，倒也是民主的手段。民建聯學會了用「安定求進步，和諧致繁榮」的邏輯來爭取保守選民的靠攏，而香港人民，雖然用腳去遊行抗議，卻用手去投下選票，告訴反對者：反對，不那麼容易，路長着呢。

## 盆栽

在它自己認為重要的範圍裏，香港政府是個超效率的政府。如果你要創業，在中國需要經過十二道手續，每一道手續需要四十一天，行政成本佔GNP的百分之十四點五。在香港，需要五道手續，每道手續十一天，行政成本只佔百分之三點四。這是四百九十二天跟五十五天的差別。〔1〕

香港的人民，把守法守規矩當作天經地義的事，有時候到一個令人生厭的程度。在大商廈裏若是逛累了想在沒人的臺階上稍坐片刻，你試試看，不到片刻就會有人來教訓你，這裏不准坐，規定不准坐就是不准坐。

香港的歷史將這個荒島漁村提早納入現代化的潮流，香港的地理使它不經選擇也變成中國的窗口，臺灣的轉口，世界的東方明珠。政府基本清廉又有效率，人民的法治精神太多不是太少。不管從哪個角度看，這都是一個充分具備民主條件的社會，不但可能施行民主，而且施行優質的民主。可是呢——

冬青的種子，長大了就是冬青，矮矮做籬笆用。榕樹的種子，長大了就是榕樹，可是要看是大樹還是盆景了。香港不是冬青種子，因為它有特殊的歷史條件和關鍵的地理位置；它是清清楚楚一粒榕樹的種子。

可是種子被放進土盆裏，正被當盆栽培養。

原載於二零零四年九月二十四日香港《蘋果日報》

註：

〔1〕新加坡需要七道手續，每道手續八天，行政成本佔百分之一點二。臺北則需八道手續，四十八天，行政成本是百分之六點三——世界銀行報告。

# 民主陷阱何其多

近幾年來華人世界對臺灣的民主發展高度關注，但是關注的焦點總是激烈的政爭和聳動的選舉，靜水流深的事情卻很少人看見，譬如在二零零五年二月一日臺灣所通過的「廣電三法」。〈廣播電視法〉、〈有線廣播電視法〉、〈衛星廣播電視法規定〉：政府、政黨不得直接或間接投資民營廣電事業。政府、政黨、黨務人員，甚至公職人員都不得擔任廣電媒體董監事等職務。政府、政黨捐贈成立的財團法人和受託人同樣不得投資廣電事業。黨務、政務和民意代表的二等血親、直系親屬若是投資廣播、電視事業，在同一家媒體的持股不得超過總股數的百分之一。更重要的是，廣播電視的主管機關將脫離政府，不再由新聞局主管，而由地位獨立超然的「國家通訊傳播委員會」負責。委員會成員由各政黨依比例派代表組成。

也就是說，黨、政、軍，徹底退出媒體。

這個法案的通過，非常尖銳地凸顯了臺灣和中國大陸在二十一世紀之初，核心價值的最重大的差異。

中國有兩千三百多家報紙，八千七百種雜誌，無數的廣播電臺，但是至今沒有「新聞法」，只有頭痛醫頭、腳痛治腳的種種「規定」和「通知」，譬如一九九零年的「報紙管理暫行規定」，界定了報紙的管理權力級別。一九九五年的「報紙品質管制標準」，不合所謂「品質管制」標準的，可以撤銷登記。二零零一年，新聞出版署發出文件要求「審讀」工作「制度化」。所謂「審讀」，就是文字的檢查。

林林總總的「規定」其實都屬於一個性質：管控媒體。而維護媒體權利、保障人民知的權利、保障新聞工作者的職業尊嚴和人身安全的規定，一條也沒有——當然，除了「憲法」三十五條，明訂公民有言論和出版的自由。可是，中華人民共和國的「憲法」，是僅供參考的。

管理新聞法律位階最高的是一個位階很低的「條例」，一九九七年通過的〈出版管理條例〉，規定只有國家機關，以及同屬於國家權力體系的機構，譬如工會、共青團、婦聯、黨報集團等等，才有辦報的權利。也就是說，媒體，屬於國家權力。《解放日報》的社論更一點兒也不遮掩地說：「我們的媒體，是『社會公器』麼？不是的。我們的媒體，是黨、政府和人民的喉舌。」

還有比這更突兀的當代對比嗎？臺灣在二零零五年正式立法，規定黨、政、軍退出媒體，而二零零五年的中國，媒體繼續為黨、政、軍服務。不同的是，從前只是作為，現在經由「現代化」的驅使，作為寫成法律條文，有了「法治」國家的外貌。

如果「廣電三法」代表臺灣民主又往前進了一步，那麼臺灣的媒體是不是令人「額首稱慶」呢？很多人會苦笑。民主進程像蝸牛爬樹，上兩步要倒退一步半。黨、政、軍退出媒體嗎？「置入性行銷」卻從後門進入媒體。臺灣的政府，根據不正式的估計，每年大約花一億美金在媒體宣傳上。「置入性」的意思是，政府想要「行銷」的訊息，不只以廣告的方式光明播出，還可以偷偷被寫進戲裏，讓你不知不覺；還可以被當作「新聞」播出，而你以為是公正報導。政府用納稅人的錢，購買了新聞媒體。掌權執政者，更以這樣的手段，為自己取得曝光率、知名度，把國家的公共資源累積成私人或私黨的政治成本。政府，已經成為媒體的最大「客戶」。

臺灣和中國的民主進程，不在一個平臺上。但是，站在臺灣的高平臺上，你也無法放鬆，更不覺自豪——民主的陷阱，何其多也。

原載於二零零五年一月二十五日香港《蘋果日報》

# 父親的家鄉

到湖南衡東縣去掃墓之前，心中計劃要做的，是坐在滿山盛開的野杜鵑叢間，靜靜地思念一下走了不久的父親。車馬困頓到了鄉下之後，杜鵑是開着，但是我沒坐。

大哥的家旁有一個水塘，水塘四邊是稻田和油菜，參差着美麗的紅磚農舍。水塘的水清澈照人，日落時黃牛從田埂經過，身影和紅霞映在水中。暮春的油菜花一片放肆，粉蝶轟鬧其上。

水塘對面，建了一個藥廠，聽説是採用驢皮提煉膠質，膠質可以美容。藥廠的廠房逐年擴展，愈建愈有規模，水塘裏的清水，今年竟然是一片深紫紅色，像腫脹蓄膿的豬肝。水面一層濃密黑色泡沫，捲起不明物質。田埂猶在，菜花燦然，但是那水塘，已是一幅鳥盡獸絕、世界末日的恐怖景象。

幼小的孩子在塘邊追逐公雞，孕婦在農舍前織毛衣，男人在塘邊挖井找水。

水，放在杯裏，被主人奉到我面前，但我不敢喝。屋外一陣一陣令人作嘔的氣味飄進來，是製藥廠將驢皮渣成堆地攤開在公路上曝曬；剝下來的驢皮，即使絞成殘渣，散發出來仍是屍體的氣味。

「這是臺商開的工廠嗎？」我問。人們回答說「不是」時，我發現自己還有一點如釋重負的感覺。

我匆匆離開父親的家鄉，不忍回頭。

然而我可以離開，那玩耍的孩子、編織夢想的孕婦、找水的農民，可以到哪裏去？

自然會想起八十年代的臺灣，那個濱海的小鎮叫灣裏。年又一年，嬰兒出生，卻是無腦的嬰兒。很多年之後，人們才知道，是焚燒電纜所產生的戴奧辛，污染了空氣和地下水，毒化了整個社區環境。二十一世紀中國大陸的經濟「崛起」，又以甚麼樣的代價在進行交換呢？

一個小小的水塘，又算甚麼，如果和一條江比起來。浙江的鰲江，一江清澈的水，引來了成千的皮革工廠，造就了百萬富翁和鄉鎮的富裕，但是每天吸入超過八萬噸的工業污水，江水變成水質劣五類，所謂江，已經是一條江的屍體，就好像湖南原鄉的水塘，已經是一個蓄膿的水泡。鰲江畔的「中國皮都」水頭縣政府開始每年編一千萬元的預算治理水污染，專家說是杯水車薪，而同時，患肝癌、肝腫瘤的人多了。多到甚麼程度，沒有人知道。孕婦肚裏的小生命會有甚麼問題，還沒有人去研究。像灣裏一樣，總要累積到無腦嬰兒數量夠大了，成人才會有破釜沉舟的覺悟。

一個水塘，為甚麼會化膿？一條江，為甚麼會死亡？因為有人將自己經濟的利益建築在對社區、對環境、對後代人的掠奪和侵佔的基礎上。或許說，這是不得以的飲鴆止渴。但是，是甚麼人、甚麼制度容許，甚至鼓勵了這種掠奪？是甚麼人、甚麼制度合理了飲鴆止渴的政策？決策者又是否瞭解飲鴆止渴的後果，準備了後果的承擔？

或者說，有這麼一種制度，層層疊疊，架構繁複而權責不清，每一個人都覺得自己只是一個聽命於人的小螺絲，拚命轉動卻不問為何而轉。譬如一株巨大的樹，每一根旁伸的枝幹上都有人費盡力氣在努力，但沒有人知道下面主幹有巨蟻侵蝕，已經腐蝕大半。

所謂公民意識，不過是意識到自己和別人棲息在同一株大樹上，不得不關心下面那主幹究竟發生了甚麼事，因為不關心的結果可能是，大樹轟然倒下時，還以為自己那一支照顧得蔥綠可愛，挺有成就感。

原載於二零零五年四月八日香港《蘋果日報》

# 羅素，一九二一

眼光敏鋭、胸中有丘壑的人來到一個新的城市或國家，很快就可以看出隱藏在這個城市或國家表面下層的「骨骼」，像X光的照射。這種照射，反而是一輩子生活在其中的人往往看不見的，因為他身在其中。

羅素（一八七二—一九七零）在一九二零年到北大擔任客座教授，一年後離開，隔年寫成《中國問題》這本書。短短一年，面對一個古老而深邃、腐敗又複雜的中國，四十八歲的羅素能看見多少中國「問題」呢？

他看見：「中國文化正在發生急遽的變化」，這種急遽的變化可以追溯到西方的軍事優勢。但是，在將來，促使中國發生激烈變化的，將是西方的「經濟」強勢。

後來的歷史證明羅素説對了。

外來的影響帶來急遽變化，中國可以如何應對？羅素提出建議：「假如中國人能自由地吸收我們文明中他們所需要的東西，而排斥那些他們覺得不好的東西，那麼他們將能夠在其自身

傳統中獲得一種有機發展，並產生將我們的優點同他們自己的優點相結合起來的輝煌成就。」──

東西揉合，或者取其精華、去其糟粕，是中國人自己說了一百多年的口號，但是羅素最幽微深刻的話，其實是這一句：在「自身傳統」中尋得一種「有機發展」。任何的「急遽變化」必須在「自身傳統」的生態環境中進行，而不是把「自身傳統」摧毀，空中起新樓。他已經排除了革命式的全盤否定傳統。「有機發展」，指的是，接枝的花木品種必須和傳統文化的主幹體質相容相輔，才可能開花結果。強行植入就不是「有機」發展，他已經排除了激進的全盤西化或蘇化。

羅素在一九二二年有沒有預見後來的發展呢？他不天真，在希望中國有足夠的智慧選擇「有機發展」的同時，他加了一個「但書」──中國能夠在「自身傳統」中「有機發展」「只有在避免了兩種相反的危險以後才有可能」：

> 第一種危險是，他們可能會完全被西化，迄今為止他們所具有的民族特徵全被磨滅，世界只不過是多增加了一個不知疲倦的、聰明的、產業化的、軍事化的國家，這些國家正在折磨着這個不幸的星球；第二種危險是，在抵抗外來侵略的過程中，他們也許會被逼到除了軍備以外，在各方面都強烈排外的保守主義的道路上去。

說這話的羅素處在一九二二年的時空，距離「強烈排外的保守主義」開始建國的一九四九年還有二十七年，距離全面破壞文化傳統的文化大革命還有四十四年；距離今天，還有八十三年。

羅素對西方文明最大的批判就是西方在工業化後對「進步」的崇拜，以追求「進步」作為最高指導原則進行開發，結果是，強國的繁榮建立在弱國的痛苦上，經濟的獲得建立在地球資源的掠奪和徹底破壞上，把「進步」當作終極目的，而忽略了「進步」不一定帶來生活的幸福。各種機器帶來了變化，但是這些變化並不等同於心靈的愉悅。西方文明對於理性和進取的過度崇拜，成為對地球的最大掠奪，對人類永續發展最大的禍害。

一九二二年的羅素，提醒中國不要步上西方國家的發展後塵，不要走上「竭澤而漁」的進步死胡同。八十三年之後，我們所目睹、所參與、所熱愛的中國，是一個甚麼樣的中國呢？

它已經是一個巨型工地。製造業佔它經濟比重的百分之五十四，意思是說，全國皆工廠。高投入、高消耗、低產出、低效益的產業環境，使得羅素心目中的文化古國已經是僅次於美國的全球第二大能源消耗國，全球第二大軍費開銷國。在急遽的能源需求驅使之下，世界銀行統計，大型水電工程的強行設置，已經造成一千六百萬人的流離失所，其中一千萬人被迫生活在極度的貧困中。

它已經加入了驕傲的文明「掠奪者」的行列。英文《經融日報》在二零零五年二月十九日的報導：每個月都有大約二十艘貨櫃巨輪從印尼駛往中國，滿載木材，從原始森林違法砍下，送到中國成為新興中產階級家裏的木質地板。一九九七年中國進口一百萬立方米的木材，二零零二年進口數字已經是一千六百萬立方米，而且每年急速增加。聯合國的專家說，亞太區原來覆蓋極廣的珍貴原始森林僅剩百分之五，大多集中在印尼，但是在中國巨大的需求下，這最後的百分之五也難倖存了。

這個「和平崛起」的中國，已經變成一個「不知疲倦的、聰明的、產業化的、軍事化的國家」，熱切崇拜着進步和發展。

你不能不被羅素的眼光折服。

原載於二零零四年十二月二十四日香港《蘋果日報》

# 我就這樣認識了廣州

## 一

你到過廣州嗎？

這麼簡單的問題，卻很難回答。是的，我來過三次，但是，每一次，都是因為「工作」而來，譬如演講。有人到車站或機場迎接，有備好的車子護送，有既定的路線畫好。進入一個講堂，離開一個講堂；進入一個酒店，離開一個酒店；熱情的人們和你說話，然後回到車站或機場，離開了這個城市。

稍微多幾個小時，可能會被帶到重要的景點，身負「導遊」任務的朋友努力地將兩千年或兩百年的歷史在二十分鐘內講完，然後在彼此都覺得意猶未盡、萬分遺憾的時候，一面說「下次再來」一面趕往機場或車站。

為了求效率，車子永遠走在高架橋或高速路上，而古老的中國為了急切地與國際接軌，總是採取最劇烈的開刀方式，對準老城區一刀切下，開腸破肚。於是走在城市內的交通動脈上，望出車窗，看見的，多半是削了一半的紅磚老樓，拆得殘垣斷壁的庭院，半截橫樑，幾根危柱，滿地狼籍，有如未清理過的帶血跡的手術現場，巨大的「拆」字像秘密判決一樣，噴在牆頭。

有的城市，我會暗暗決定，再也不回來。有的，那二十分鐘的敍述留下幾個難忘的片段，記在心裏，還想探索，或者，在快速駛過的手術現場，瞥見一點點「手術前」的滄桑的美貌：一條樹影幽深的巷子，一排姿態嫵媚的老樓，半邊隱約的飛簷塔影，一個長滿青苔水藻的斑駁碼頭。吉光片羽掠過，但是心裏知道：我要回頭，要單獨地、專注地回頭來認識這個城市。

廣州，就在這個必須「回頭」的名單上。

## 二

二零零五年一月二十一日早上，看看窗外的天，灰灰的，感覺沉靜，是個「出走」的好天。對一個持臺灣護照的人而言，隨興「出走」不是那麼容易的事，因為隨便在地球儀上挑出一個城市來，多半需要辦簽證，這一個念頭，足以冷卻掉任何想「出走」的衝動。

拿好臺胞證，「出走」第一站是灣仔的中國旅行社，辦簽證。

第一次辦的時候，別人只需要等個十分鐘，我卻足足等了半個多小時。去問那坐在櫃臺裏的小姐怎麼回事，她斜斜地睨着我，似笑非笑地說，「那你當然要等囉，你不知道你是甚麼人嗎？」她的坦白讓我吃了一驚。

每次來都要等得比別人長，大家也就有了默契。小姐看見我來，還說「請坐」，一副心照不宣的樣子。坐下來，透過玻璃看着她，她也看看我，很安靜，但是在玻璃內與玻璃外之間，隱藏着一個深不可測的巨大空間，深得聽不見一點回音。

## 三

火車緩緩開動，一個半小時的車程，足夠溫習一下自己對廣州的零碎印象：南越王趙陀在廣州建宮殿。蘇東坡在廣州欣賞寺廟。洪秀全在廣州拜上帝。康有為在萬木草堂講課。梁啟超在廣州寫文章。七十二烈士在廣州起義。孫中山在廣州開會。蔣介石在廣州練軍。陳寅恪在廣州寫《柳如是別傳》。魯迅在廣州開書店。郁達夫在廣州飲茶……

一番胡思亂想，火車快進東站，才開始翻開手邊的旅遊小冊：

光孝寺：唐儀鳳元年（六七六年），禪宗六祖慧能在此受戒，開創佛教禪宗南宗之先河。

我嚇一跳：十五年的深藏，風動幡動的哲學辯論，菩提樹下的剃度，竟是在廣州嗎？為何在歷次的廣州行中，無人提及？再看下一則：

華林寺：梁武帝大通八年（五三四年），西竺高僧達摩乘舟至廣州，在此登岸，並建茅舍。

只有短短兩行字，卻重如千鈞，我心跳得厲害。曾經在西安碑林看明朝風顛和尚畫的「達摩東渡圖」，也約略記得《祖堂集》（九五二年）裏敍述的梁武帝和達摩對話的機鋒：

武帝問：如何是聖諦第一義？師曰：廓然無聖。帝曰：對聯者誰？師曰：不識。又問：朕自登九五已來，度人、造寺、寫經、造像，有何功德？師曰：無功德。……

菩提達摩與政治人物話不投機，北上黃河，面壁九年，然後有慧可的「斷臂立雪」的傳奇。《楞伽師資記》裏慧可的話曾經令我徹夜清醒，難以入睡：

吾本發心時，截一臂，從初夜雪中立，直至三更，不覺雪過於膝，以求無上道。

原來達摩一葦渡江，禪宗初始之處，也在廣州，為何無人告我？

旅客都走光了，光孝寺、華林寺，找邊唸着名字，邊提起背包跌跌撞撞下車，踏進廣州，已是暮色沉沉。

## 四

早晨的珠江帶點霧意，好像那江水還沒醒過來。我放棄早餐，背起背包奔出愛群酒店。站在長堤大馬路斑馬線上，車輛不讓人，根本過不了街。轉身將背包裏的地圖取出，決定了路線：江在南，寺在北。先去十三行看老建築群，再回頭沿海珠路往北走。

過了馬路，將地圖放回背包，發現背包的拉鍊大大地打開，裏面是空的。我停下腳步，看看周邊的人，一個乞討的孩子，三個發廣告傳單的青年，藥店前倚着閒閒的店員，幾個過路的男女。這是一個城市的街景，看起來，甚麼都沒發生。

我幾乎是踩着雲霧走回酒店的，心裏想的是：臺灣護照、臺胞證、香港出入境許可、香港身份證、臺灣身份證、德國出入境許可、德國和臺灣駕照、不同銀行的信用卡……都沒有了。而且，我身無分文。

走遍了全世界、穿過無數國界和邊境的人，馬上知道這意味着甚麼：我是一個失去了身份證明的人。

要是哪一個朋友在此刻出現，我一定抱頭痛哭給他看。

兩個基層警員倒是五分鐘之內就來到酒店，但是到了派出所，一個警員卻花了九十分鐘的時間做筆錄。筆錄，其實只有那三百來個字，抄下我已經寫下的失竊項目。我以為他會立即「辦案」，譬如説，管區警員可能熟悉那一區的竊盜集團，會試圖聯繫；譬如説，路口和酒店都裝了監視電視，馬上把出事時段的錄影帶調出來檢視；譬如説，詢問酒店的工作人員，追查線索……

九十分鐘過去了，我才發覺，警察唯一做的，是寫好筆錄，發給我一張報案失竊證明，以便我能到出入境管理處申請臨時臺胞證。其他的，都別想了。

上午十一點，到了出入境管理處。空空的大樓，這是星期六。一個穿警察制服的人坐在一個電話機旁。窗子開着，冷風呼呼吹進來，他看起來凍得發抖。

顯然只是個接電話的人，值班的官員不在。他撥通了值班官員的電話，然後將話筒交給我，我開始解釋自己的困境：證件全沒了，明天必須回到香港，請問怎麼處理？

「今天是星期六，沒人上班。辦你這個，要好幾個部門的人，禮拜一再來。」

「對不起，可是我明天得回到香港——」

電話裏的人很惱火，打斷我，「你告訴我為甚麼明天要回去？」

我愣住了。他相當憤怒地説，「你有甚麼理由一定要明天回去？你把理由給我説出來。」

我想說，您沒有權利要求我告訴您我為甚麼一定得回去，這屬於一個公民的個人隱私；我想說，在一個文明的社會裏，政府是有義務為它的公民和訪客解決急難的；我想說，在一個法治的政府裏，所謂值班，就是您無論如何不能離開這個位子；我想說，您能不能不用這種惡劣的口氣和我說話……

我都沒說，只是問他，「您不是值班嗎？」

「我沒要你跟我說話，」他說，「告訴你，我這是在為你服務，你搞清楚。你說有甚麼理由一定要明天回去？」

我決定投降：「星期一上午大學有事。」

電話突然掛掉了。

那凍得手背發白的人問，「他說甚麼？馬上來嗎？」

我搖頭，「不知道啊。他掛了電話。」

「喔——」他想了想，「那我幫你再打。」

又接通了，他聽了一會兒，放下聽筒，說，「他去找人。要你等着。」

「嗄？是等十分鐘？還是一小時？還是三小時？還是……？」

他似乎也很為難，然後再度勇敢地拿起話筒，「她問要等多久或者能不能講定一個時間？」

放下話筒，他說，「他也不知道，因為他要去找齊其他部門的人，不知道甚麼時候找得到人。」

看着他在冷風裏瑟縮的樣子，我說，「您實在應該穿着大衣坐在這裏，這兒太冷了。」他搖搖頭，說沒關係。

然後又拿起話筒，「小姐問能不能約個時間？」

聽了一會兒，他高興地說，「他會派一個人下來這裏收件，然後你下午四點再來取臨時臺胞證。」

「您不能收件？」

「不能。」

「下來收件，」我說，「那表示上面有人在值班？」

「不知道。就等吧。」

「要等多久呢？」

「不知道。」

二十分鐘以後，下來了一個小姑娘，來「收件」。

下午四點，準時回到大樓，還得等。極寬闊空盪的大廳，沒有一張椅子。送來稿費救急的朋友問警衛，樓上有位子，可以上去坐吧？警衛懶得理，搖手表示不可以。

為甚麼不可以？我走過去把警衛的椅子搬過來，有點生氣地對他說，「那麻煩您去搬幾張椅子過來讓我們坐着等。」

他奇怪地看看我，我洩氣地坐下。我幹嘛為難他？他不會知道，政府部門是為人民服務的，因此大廳裏理所當然應該有椅子給市民坐。沒有椅子，他應該覺得抱歉。他的工資，都是市民繳的稅所發的。可是，如果他的長官們，還有長官的長官們，還有長官的長官的長官們，都沒有這種意識，你要求他甚麼呢？

四點二十分，有人出現了，拿着一本新的臺胞證。「要收費，七十元。」朋友從口袋裏掏出錢，她說，「不行啊，我不能收錢。得負責收錢的人來開收據收錢。」

「那──收錢的人在哪裏啊？」

「要找找啊……」

我真想一把搶下她手裏的證件就跑。

五

有了臺胞證，可以離開中國，但是不代表可以進入香港。

上了從廣州開往九龍的直通車。到了關卡，直接找香港海關的官員，解釋了狀況。他將我帶進一個辦公室，指着一張椅子，說，「請坐。」

這是星期天晚上八點半。另外幾個顯然也是入境手續有問題的人，正坐在一張長凳上等候，其中一個是非洲喀麥隆人，穿着拖鞋，露出所有的腳趾頭。

六個制服齊整的邊境官員正在忙碌。他們工作的神情專注，和同僚說話時，又顯得輕鬆愉快。一個女性官員甚至從一張桌子走到另一張桌子時，用的是小女生跳格子的輕俏腳步。

不耐久坐，我不時站起來走動。麻煩的是，埋頭公文的公務員一抬頭，只要看見我站着，就會指着椅子，說，「你請坐啊。」

填表格，按指模，簽名。在九點半，我以一個准許我逗留七天的臨時入境許可進入香港。

第二天，第一站到了臺北駐香港的代表處，它的名字帶着歷史的荒謬性：中華旅行社。在臺北申請護照，只要二十四小時，在香港，因為郵件的來往，最長需要二十天。臺北辦事處的官員熱情而迅速，但是，我恐怕享受了人們因為熟悉我而給予我的特別的信任；我不需要證明我是真的我。

下午一點半，到了香港入境處。抽了一個號碼，等候四十五分鐘，和官員面對面。

「辦理香港身份證，你需要香港入境證。」

「但是我的入境證被偷了。」

「那你就要辦理入境證。辦理入境證，需要臺灣護照。」

「但是我的臺灣護照被偷了。」

「那你可以去律師那裏公證，證明你的身份。律師給你一個公證身份，我們也可以給你入境證。」

我看着這位講話規規矩矩的女性公務員，說，「沒有身份證，沒有護照，請問，律師憑甚麼給我證明身份？」

她呆住了。

我拿出當天的《蘋果日報》，大半版是龍應台失竊的消息，照片很大，還有「出事」地點的示意圖，看起來特別怵目驚心。

將報紙推進窗口，我說，「律師總不能憑《蘋果日報》來證明我是真的吧？」

她喃喃地說，「對啊……」

這時，她的長官發現了我們的僵局，走過來，微笑着點點頭，說，「我知道你的特殊狀況，我們會特別處理，一定會幫你解決的……」

## 六

我決定不被小偷打敗。

廣州的老城區竟然還處處看得見歷史的年輪，洋溢着老城的情趣。大德路幾個街廓全是五金業。鋼管以各種意想不到的形狀掛在牆板上，乍看之下像現代藝術。小鋼圈成千上百的放在一堆時，彷彿貴族的珠寶箱子被不經意地打翻了。詩書路上看不見任何詩書，但是再走一段就發現整條街都是印刷業，也明白了「紙行街」的意思。接近十三行的成衣批發集中區，楊巷路一家連着一家的鈕釦店、拉鍊店、皮帶店、花邊店。當一整個店裏都是拉鍊的時候，大大小小各形各式的拉鍊，鋪排開來，簡直就像一個現代美術館的主題特展。

夾着老街的是一株一株菩提樹，菩提樹掩映着一棟一棟的老樓。老樓或沒落褪色或殘敗頹廢，但是雕花的廊柱、起伏的山牆、彩色的玻璃，彼此暗暗輝映，老舊中反而更有一種成熟的滄桑的嫵媚。

廣州老城，有着法國印象派油畫的濃稠美感。

然後就走到了光孝寺。天色漸漸暗下來，大殿裏亮起盈盈燈火，晚課的誦經聲，在鐘聲、鼓聲的節奏下，綿綿流進靜謐的庭院。慧能受戒的菩提樹，不知是不是一千五百年前的那一株，菩提樹的心型闊葉在風裏搖晃，一兩片隨風飄下，落在蒼青色的石階上。

**不是風動，不是幡動，仁者心動。**我就這樣認識了廣州。

原載於二零零五年一月二十八日香港《明報》

# 一個警察的背後

本來想悄悄去廣州，不驚動任何朋友，可以自由而且專心地，用行腳去感受廣州的老城氛圍。沒有想到，一個不小心，反倒變成一個華人世界舉世皆知的事件。幾天來，溫暖的關心電話和郵件從美國、歐洲、馬來西亞、香港、臺灣、中國各個城市包括新疆和蒙古，不斷進來，倒叫我覺得慚愧，但又不能因此希望自己「傷」得更重，以擔得起朋友和讀者的愛惜。

我開始回想那個關鍵的時刻：單身女子，背着背包，背包在後而不在前；站在路口，攤開地圖。

這是一個國際「傻根」形象〔1〕。那個街口不必是在廣州老城，也可以是羅馬噴泉，莫斯科紅場，華沙廣場，法蘭克福火車站大道。以那樣大方不設防的架勢，往任何一個城市中心一站，對於那個城市裏活躍於灰色空間的人而言，怎麼説都是一種挑釁或邀請。所以我的遭竊絕不足以被解釋為「中國特色」。

但它是不是「廣州特色」呢？

事情發生了之後，集體的「口述歷史」就打開了。一桌五個廣州市民，四個人有被偷被搶的經驗，而且每一個人都是多次，先講親身經歷：被摩托車撞，被小刀割，人怎麼欺身而上，怎麼搶了就跑……然後再敍述發生在親友身上的：兩歲的孩子的媽，護着包，以致於整隻手被砍斷。愈講，恐怖的細節愈多，我聽得兩眼發直，開始覺得：自己真是個好命的人啊，可喜可賀。

回到香港，香港人說，唉呀唉呀，你怎麼會想到一個人跑去廣州？廣州啊，我們男人都要成群結隊才敢去的。香港的大陸人說，怎麼你還沒學到呢？在這邊，背包背在後面，一過邊境，背包要背在前面。

我一邊奔波於銀行和移民局之間，一面讀到廣州官員的反應。省政協委員以「龍應台遭竊」案詢問廣東省公安廳長梁國聚對於治安有何對策，梁國聚說，廣東一億多人口，只有十三萬警察，警力不足是很大的問題。

公安廳長的談話倒是坦率，於是我開始算，照廳長這麼說，在廣東省，每一個警察要服務八百四十六個市民。臺北總共有七千七百〇二個警察，也就是每一個警察要照顧三百四十一個臺北人，而香港有三萬二千九百八十六個警察，一個警察服務二百〇七個港人。柏林的一個警察只要管好一百三十個柏林人的安全。如果算工資，香港的警察工資會是廣東和臺北警察的好幾倍。

以這樣的制度和物質條件來看，梁國聚的自我辯護不算錯。香港警察的效率和他背後的制度之間，不論是管理結構上的還是經濟上的，有一個明確的因果關係。知道了這個數據，對中國警察便不忍苛責，可是，這是現象的全貌，或者只是冰山的一角？譬如說，那八百四十六個人是否真正得到那「一個」警察的服務？雖然警力微薄，警察的辦案效率，服務品質，以及廉潔程度，和臺北、香港的警察比起來如何？有人做過比較和追蹤，做過查核和監督嗎？警察本身的制度，以及制度和整體社會問題的連結與呼應，又如何？

如果沒有績效的查核和紀律的監督，那麼表面上所謂治安問題可能根本就不僅只是治安問題，而是整體的政府管理問題。如果警察的制度和社會的現實發展根本脫鉤，譬如說，戶口制度和城鄉差距的問題嚴重惡化，警力之於它如杯水車薪或牛頭不對馬嘴，那麼所謂政府的整體管理問題其實是一個政治問題，真正的癥結就可能在國家的根本政治，在政權政體，而不在管理，不在效率不效率那個簡單的層次了。

我收到很多大陸讀者的來信，譬如這一封：

> 看到您被竊的新聞，身為大陸人除了感到丟人和羞恥、向您表示歉意和慰問。同時也為您感到「慶幸」，還好遭竊是在您不知不覺中發生的，因為不能想像，如果發現被竊，按您的性格你會怎麼做，而那樣的話，您也許會遭圍毆，更可怕的是深圳和廣州有一群砍手黨，我可不想這麼恐怖的事發生在您身上。

其實，被竊的「待遇」我們都「享受」過，您遭遇的是許多大陸中國人都遭遇過的事，我家最後一輛自行車距今正好被偷一週年，從此不再買車，而自從我父親在公交車上被偷三千五百元（他帶着錢去醫院開白內障，交費時才發現醫療費全沒了），我乘車時，總是睜大雙眼；自從有一天，在街上走，忽然發現自己的口袋裏伸着別人的手（我回身看到的是一張新疆小姑娘的臉），現在我走在街上，總是「瞻前顧後，左顧右盼」，非常緊張。

我知道您不喜歡做「貴賓」，可是要做一個普通的大陸人，必須小心小心又小心！記住這裏是中國大陸，不是香港，不是臺灣，更不是德國！只要腐敗依然存在，只要貧富分化還在加劇，只要體制不變，一切仍將繼續。

那樣溫柔敦厚的一封信，而同時又把問題看得那樣冷透，令人不安。

原載於二零零五年一月二十八日香港《蘋果日報》

註：

〔1〕馮小剛《天下無賊》電影中的鄉下人。

# 走過的路

二零零五年四月，國民黨主席，在隔絕六十年後第一次回到中國大陸，曾經在西安讀過小學的連戰主席重返小學，本來應該是一個悲歡離合、令人動容的場景，卻意外地成了臺灣的「笑柄」。

西安的學童為歡迎連戰表演朗誦劇《連爺爺您回來了》，誇張的手勢、做作的音調、不屬於天真兒童的戲劇化的臺詞，成為電視娛樂節目的令人噴飯的消遣大宗，「連爺爺您回來了」的誇張音調，變成最流行的手機鈴聲。

也有許多人，批評這些有「政治立場」的成人們對無辜的西安孩子們尖酸刻薄，不厚道。我相信，不贊成對西安孩子嘲笑的人，不見得就欣賞那極盡誇張、充滿成人意志的表演風格，而可能，他們和我一樣，還深深記得臺灣人自己是怎麼走過來的。

一九七二年，我二十歲，大學二年級。蔣介石又要連任總統了。為了營造「全國擁戴、萬眾一心」的氣氛，政府舉行大學生朗誦比賽。於是有文采的學生寫詩，懂音樂的學生配樂，國語標準、聲音優美的學生朗誦；於是每一所大學，有文采、懂音樂、有表演天分、聲音優美的學生都走到一塊兒去了，用最大的熱情，集體創作，主題是歌頌領袖的偉大、民族的偉大。

我當然是那個「國語標準、聲音優美」的大學女生，負責朗誦。正經的課，莎士比亞或是修辭學或是西洋文化史，可以不上，但是朗誦的彩排，比甚麼都重要。比賽前的幾個夜晚，我們通宵工作。一遍又一遍地練習：「你是那淵遠流長的長江，帶着我們航行遠方；你是那茫茫河漢的星座，照亮我們迷濛的歧路，領袖啊……」

領袖、長江、黃河、長城、龍的子孫……想像這樣的詞，配上氣勢磅礴的交響樂，用字正腔圓的北京話朗誦，還有，「領袖啊」，要配上激越的手勢、虔誠的表情、流動靈轉的眼神。我們這個隊好像得了第二名，感動了很多臺下的人，帶着榮耀回到學校。

印象深刻的是，二十歲的年輕人在日日夜夜的創意工作中所產生的同志感，夜半走在月光斑駁的鳳凰樹陰裏，覺得天地無聲、人生有夢，宇宙一片純淨。渾然不知這「領袖」是怎麼回事，更不知道，在同一個青春浪漫的時刻裏，同一個大學的學生正被逮捕、被訊問、被監禁，因為讀了「不該讀的書」，「說了不該說」的話，正被判處無期徒刑。

我們的手勢誇張，我們的音調做作，我們的朗誦詞充滿了世故的成人的意志，但是我們的感情真摯，我們的信仰誠懇，我們的的動機純潔，因為我們完全不知道最悲傷的黑暗就藏在那美麗鳳凰木的陰影裏。坐在臺下看我們演出的更多的人，眼裏含着感動的淚光。

我問一九七零年代出生的人，是否也做過這樣的朗誦演出。

答案讓我嚇一跳。有的。一樣誇張的手勢、做作的音調、讓人起雞皮疙瘩的動情演出。只不過，內容不再是對「領袖」的歌頌，而換成了，譬如說，余光中的〈鵝鑾鼻〉：

我站在巍巍的燈塔尖頂，
俯臨着一片藍色的蒼茫。
在我的面前無盡地翻滾，
整個太平洋洶湧的波浪。

一萬匹飄着白鬣的藍馬，
呼嘯着，疾奔過我的腳下，
這匹銜着那匹的尾巴，
直奔向冥冥，寞寞的天涯……

驀然，看，一片光從我的腳下，
旋向四方，水面轟地照亮；

一聲歡呼，所有的海客與舟子，
所有魚龍，都欣然向臺灣仰望。

印象更深刻的是，一九七二年我的柏克萊教授從鐵欄桿外看着二十歲的我們在操場上穿着軍訓制服踢正步、操步槍、立正唱國歌、喊愛國口號時，他眼中流露出來的一種憐憫。我看出了他的眼神，驚訝於他的表達，但是那憐憫究竟代表了甚麼，好端端的我們為甚麼激起他的憐憫，要到數年後我離開了那個踢正步的操場、那個誇張朗誦的舞臺、那個宣揚「愛國」和「偉大」的語境之後，我，才明白了他憐憫的含意。

對於在成人意志下起舞的孩子，他流露的是哀矜，是同情，不是自覺優越的輕視，不是輕浮傲慢的訕笑。

二零零五年五月五日

# 你不能不知道的臺灣

## ——觀連宋訪大陸有感

### 一、《紅燈記》在臺北

二零零一年大陸的報紙出現這樣一則新聞：

去瞧瞧《紅燈記》裏的共產黨如何比鋼鐵還要硬！

幾經波折，不具國共鬥爭意識形態的文革樣板戲《紅燈記》，終於跨越臺海，二月八日在國父紀念館舞臺點燃紅燈。這齣稱為「樣板中的樣板」的現代京劇，有讓臺灣戲迷仔細體會樣板神髓的機會。文革樣板戲《紅燈記》來臺演出過程，不但通關審議一波三折，連劇本到底要不要稍作更改，也是考慮再三。中國京劇院原來已決定更改劇中出現「中國共產黨」的文字，當演員們都已經練好了新臺詞時，院長吳江，又在演出前一天表示，基於多數臺灣劇場界人士的建議，還是決定一字不改，原汁原味的呈現樣板戲《紅燈記》的精髓。

在這樣的報導後面隱藏着甚麼樣的現實？

臺灣的政治愈來愈開放，但是開放到連宣傳共產黨「偉大」的革命樣板戲都進來了，還真是令人驚詫；這是兩岸關係史上一個不得了的里程碑，不能不去親看一眼。

看戲之前，剛好遇見教育部長曾志朗。所有大陸團體來臺演出，都得經過教育部長的批准。曾志朗聽説我當晚要去看《紅燈記》，很高興地説，「好看啊。不過他們對臺灣不太瞭解，為了『體貼』我們，把臺詞都改了，『共產黨』改成『革命黨』三個字，説是不要『刺激』我們；我就批示，根本不需要，共產黨就共產黨嘛。甚麼時代了。」

當天晚上，我邀了三個八十歲的長輩一起去看戲：在大陸當過國民黨憲兵連長的父親，浙江淳安縣綢緞莊出身的母親，還有方伯伯，他在十七歲那年跟着蔣介石從奉化溪口走出來，千山萬水相隨，做了一輩子「老總統」的貼身侍衛。

國父紀念館有三千個座位，不是特別有號召力的表演，一般不敢訂這個場地，因為不容易坐滿。去之前，我還想，是不是經紀人不懂臺灣政治現狀？那是「去中國化」在臺灣的政治角力中甚囂塵上的時候。身為臺北市文化決策者的我，如果致詞時引用了司馬遷或韓非子，會被批為「統派」，意思是對臺灣「不忠誠」。為國學大師錢穆和林語堂修葺故居時，我被怒罵質問，「錢林兩人都是中國人，不是臺灣人，不可以用臺灣人的錢去修中國人的房子！」在這樣的氣氛裏，來這樣一齣樣板戲？會有幾個人來看？

紅色的地毯，被水晶燈照亮了。人們紛紛入場。時間一到，所有的門被關上。我回頭看，三千個位子，全部坐滿，一個空位都沒有。這是首演。

燈暗下，革命樣板戲《紅燈記》在臺北正式演出。

沒有手機響，也沒人交頭接耳。臺北人很文明、很安靜地看京劇演員如何在鋼琴的伴奏下旋身甩袖，如何用眼睛的黑白分明表現英雄氣概和兒女情長，如何用唱腔歌頌共產黨的偉大和個人的犧牲。

我偷偷用眼角看身邊三個老人家，覺得很奇怪：父親特別入戲，悲慘時老淚縱橫，不斷用手帕擦眼角；日本壞蛋鳩山被襲時，他忘情地拍手歡呼。方伯伯一臉凝重，神情黯然。母親，不鼓掌，不喝采，環抱雙手在胸前，一臉怒容，從頭到尾，一言不發。

演出結束，掌聲響起，很長的掌聲，很溫暖，很禮貌，然後人群安靜地紛紛散去。我們坐在第一排，看着人群從面前流過，七嘴八舌地評戲。一個頭特別大的老人家大聲說，「告訴你，李登輝就是鳩山！」旁邊的人哄然大笑。大頭老人家看起來如此面熟，有人在一旁耳語：「他就是專門演毛澤東的名演員。」我趕快看他，果然，多年來在電視上演「萬惡的共匪」，就是他，覺得面熟，原來長得像毛主席！一群年輕人走過，談論着「舞美設計」和「京劇動作」如何如何，就像看完法國的《茶花女》或是英國的《李爾王》一樣。

父親好像得到了戲劇的昇華，很高興地說，「日本鬼子太壞了！這個戲演得好！」日本才是敵人，這戲裏的英雄好漢是共產黨，他渾然不覺得有任何不妥。

母親在一旁坐着，本來就冷淡，一聽父親的熱烈「劇評」，真的生氣了，衝着他說，「我不知道臺灣政府是幹甚麼的，讓這種戲也來演是甚麼意思。他歌頌的是共產黨你曉不曉得？共產黨殺了我們多少家人你曉不曉得？我是不會忘記的，我哥哥是被他們三反五反活埋的！」

然後她帶點埋怨地瞅着我，「不曉得你帶我來看的是這種戲？」

方伯伯看起來心事重重，在我堅持之下，才慢慢地說，「前塵往事，盡湧心頭啊……一九七五年，老總統遺體的瞻仰儀式就在這個大廳舉行的，二十六年來，我第一次再踏進這個大廳，卻是看這『紅燈記』……他的遺體，就放在臺上，李玉和唱『為革命同獻出忠心赤膽，天下事難不倒共產黨員』的地方——」他說不下去了。

## 二、小溪潺潺，得來不易

《紅燈記》演出的同時，也是我正接待高行健來臺北訪問的時候。剛剛得了諾貝爾獎，在國際的追逐戰中，他重然諾地首先來了臺北，因為我在他得獎的半年前就邀請了他來臺北作駐市作家。

第一個華人諾貝爾文學獎得主的到來，我擔心兩種反應：一種是，用民族主義的激情來擁抱他，愛他是「中國人」；第二種是，用政治的意識形態來排斥他，罵他是「中國人」。在這兩種反應中，文學本身的價值都會被淹沒不見。

其後所發生的，出乎我的預料：人們歡迎他，為他覺得榮耀，但是從北到南的講座中，從「獨派」到「統派」的媒體裏，很少出現民族主義的激越語言，也很少劍拔弩張的政治解讀。人們只是歡喜地聆聽他的演講，熱烈地討論他的作品，同時，因為他所有的作品都在臺灣首發，引以為榮。

看《紅燈記》的平靜，接待高行健的自然，發生在同時，使我深深覺察到臺灣的質變。

不，我們並不一直都是這樣的。

我們經過五六十年代的肅殺。倉皇渡海的國民黨是一個對自己完全失去信心的統治者，對自己沒有信心的統治者往往只能以強權治國。風吹草動，「匪諜」無所不在，左派的信仰者固然被整肅，不是信仰者也在杯弓蛇影中被誣陷、被監禁、被槍斃、被剝奪公民人權。「戒嚴」令在一九五零年頒佈，當初決定跟着國民黨撤退到海島的許多知識菁英，作夢也沒料到，他們會在「戒嚴」令下生活三十七年之久。在日本統治下期待回歸祖國的臺灣人，作夢也沒想到，從殖民解脱之後得到的並不是自由和尊嚴，而是另一種形式的高壓統治。

好幾代人，就在一種統治者所精密編織的價值結構裏成長。相信「黨」的正確，因此我們不習慣政治見解的分歧。相信國家的崇高，因此我們不允許任何人對「國家」這個概念有不同的認知。相信民族的神聖，因此我們不原諒任何對民族的不敬。相信道德的純粹和理想的必要，因此我們不容忍任何道德的混沌以及理想的墮落。而共產黨，就是這一切我們所相信的東西的反面；它是「邪惡」的、「恐怖」的、「腐敗」的、「欺騙」的、「罪不可赦」的。

我們所有的敍述都是大敍述：長城偉大，黃河壯麗，國家崇高，民族神聖，領袖英明，知識分子要以蒼生禍福為念，匹夫要為國家興亡負責，個人要為團體犧牲奮鬥，現在要為未來委曲求全。

大敍述的真實涵意其實是，把我們所有的相信「絕對」化，而價值觀一旦「絕對」化，便不允許分歧和偏離。任何分歧和偏離，不僅只被我們認為是不正確的，而且是不道德的。不正確還可以被原諒、被憐憫、被改正，但是對於不道德，我們是憤怒的，義憤填膺的，可以排斥、唾棄，甚至贊成國家以暴力處置，還覺得自己純潔正義或悲壯。

《野火集》在今年要出二十週年紀念版，因此有重讀的機會。物換星移，展讀舊卷，赫然發現，《野火》裏沒有一個字一個句，不是在為「個人」吶喊：

法制、國家、社會、學校、家庭、榮譽、傳統——每一個堂皇的名字後面都是一個極其龐大而權威性極強的規範與制度，嚴肅地要求個人去接受、遵循。可是，法制、社會、榮譽、傳統——之所以存在，難道不是為了那個微不足道但是會流血、會哭泣、會跌倒的「人」嗎？

同時，沒有一個字一個句不是在把責任，從國家和集體的肩膀上卸下來，放在「個人」的肩膀上：

不要以為你是大學教授，所以做研究比較重要；不要以為你是殺豬的，所以沒有人會聽你的話；也不要以為你是個學生，不夠資格管社會的事。你今天不生氣，不站出來說話，明天你——還有我、還有你我的下一代，就要成為沉默的犧牲者、受害人。

同時，沒有一個字一個句不是在偉人銅像林立的國度裏，試圖推翻「大敍述」，建立「小敍述」：

如果有了一筆錢，學校會先考慮在校門口鑄個偉人銅像，不會為孩子造廁所。究竟是見不得人的廁所重要呢？還是光潔體面的銅像重要？你告訴我。

《野火》書出，一九八五年的臺灣為之燃燒，二十一天之內經過二十四次印刷。我像一個不小心打開閘門的人，目睹一股巨流傾瀉直下，沖出高築的大壩，奔向遼闊原野。滾滾洪水一旦離開大壩的圍堵，奔向遼闊，首先分岔出萬千支流，然後喧囂奔騰變成小溪潺潺，或者靜水流深。

《野火》之後，很多人反抗過努力過，游擊隊似的「黨外」演變成正式的反對黨，而反對黨又驚天動地地蛻變為執政黨；《野火》之前，更多人反抗過努力過，從日據時代抵制殖民的賴和、楊逵，到後來拒絕屈服強權的雷震、殷海光、柏楊、李敖、陳映真。是在二十年後的今天，對臺灣人的反抗和努力我有了新的體會：就為了打破價值的絕對化，就為了把大敍述打碎，讓小敍述出現，看起來這麼「小」的目標，我們花了好幾代人的光陰。

是因為不再相信價值的絕對，是因為無數各自分歧的小敍述取代了統一口徑的大敍述，臺灣人平和了，他可以自然地接待高行健而不誇張過度，可以平靜地欣賞《紅燈記》的舞美、唱腔、身段而不激烈。可是他其實並沒有忘記過去的日子。

如果你問我這一個臺灣人，我們用六十年的時間學到了甚麼，我會説，我們學到：萬千支流，小溪潺潺，得來不易。

## 三、敘述的多版本

那天晚上，有三千人去看《紅燈記》，也有很多人基於政治的立場，是不願去、不屑去的。去看了戲的人，有的只在乎戲劇的純粹美學表現，有的人，譬如我父親，被民族情感感動得涕泗滂沱。有的人，譬如我母親，國共內戰所撕開的傷口在六十年後都還淌着血。有的人，譬如方伯伯，心裏烙着忠奸分明的意識，根本無法接受政治的翻天覆地、時代的黑白顛倒。

每一個人有自己版本的小敘述，和其他人不同，但是每個人都知道一個遊戲規則：他必須容忍別人的敘述，如果他希望自己的敘述被容忍。

教育部長，在公文上請演員保留原有的戲劇臺詞，然後簽了字。

連戰訪問大陸，人們在桃園機場打了一架。之所以會鬧出流血衝突，一方面固然是民意代表無所不用其極地尋找方式出名——政客們早就學到，製造衝突往往是出名的捷徑。另一方面，臺灣人分歧的小敘述在這種關鍵時刻被突顯出來：民主的時間還很短，很多傷口和痛楚，還沒有癒合；很多糾纏的道理，彼此還說不清楚。

對於有些人，歷史的切身認知是，日本人對臺灣的統治比國民黨的統治還要文明些。日本總督再怎麼霸道，畢竟還受母體社會日本的法治所規範，而當時的日本是一個已經經過明治維新洗禮的現代化國家，潰散到臺灣的國民黨卻正處在一個歷史的低谷——從戊戌變法、辛亥革命、軍閥割據、五四學潮、抗日戰爭、國共內戰，中國人連坐下來綁緊自己草鞋的機會都還沒有。被日本人統治了五十年的臺灣人所第一眼看到的「祖國人」，是一個頗為不堪的形象。由於歷史的隔閡又對「祖國人」的不堪沒有甚麼歷史的理解，沒有理解，就沒有同情或包容。

緊接而來的高壓統治，更令所有對「祖國」的期待破滅；一九四七年的二二八流血事件，有些人解釋為單純的「官逼民反」，處處發生，這些臺灣人，從自己的幻滅和痛苦經驗出發，卻寧可認為，這是「中國人」對「臺灣人」的壓迫。把國民黨的問題解釋為「中國人」的問題，再將中國人和共產黨對等起來，很容易得出一個結論：中國人代表不文明，前現代，野蠻。

對於另一些人，日本人的侵略造成千萬中國人的家破人亡，是刻骨銘心的集體國族記憶，仇深似海。中國再怎麼落後都是自己的國家。國共兩黨再怎麼敵對，都不能和中日間未解的宿仇相比。

有一些人，深愛中華傳統和文化，寫書法，讀詩詞，研究老莊哲學，但是拒絕與中國這個國家組織認同。

另一些人，討厭中國這個國家組織，因此也想將中華文化一併摒除，拒絕說北京話，拒絕到大陸旅遊。

有一些人，懷抱極強的民族認同，盼望中國強大，至於用甚麼方式強大，以甚麼代價來獲得強大，都不在乎。在「大中國」的想像裏，臺灣只是一個歷史的小小註腳。

另一些人，根本不把民族或國家看做一個有任何意義的單位。所有關於國家或民族的説詞，都是統治者拿來愚民的神話。他唯一在乎的是，哪一種國家組織——殖民也好，託管也好，佔領也好，黑人白人日本人，只要可以給他最大的個人自由和公民權利，都是他可以接受的國家管治者，反之就不是。

一道長長的光譜，從「深綠」變「淺綠」，從「淺綠」逐漸轉「淺藍」，再化為「深藍」。「深綠」是那堅持臺灣獨立大敍述的人，「深藍」是那擁抱中國統一大敍述的人，在今天的臺灣，都是少數；佔大多數的，卻是中間那一大段不能用顏色來定義、不信任任何「絕對化」的價值觀的人。

這些臺灣人，和世界上任何其他人一樣，渴望社會安定、經濟穩定、家庭幸福，個人受法律保障。但是因為他曾經經驗過殖民和專制統治，所以他對於國家民族等等上綱上限的崇高大敍述往往抱持一種懷疑和竊笑，卻極在乎言論和思想的自由、極在乎社會的公平正義以及對弱勢的照顧，極在乎國家機器不侵犯他的隱私和人權。

這樣的臺灣人，每天的生活內涵是甚麼？

## 四、民主不過是生活方式

首先，不管光譜上的哪一邊，臺灣人從頭到尾就不曾覺得自己是中華人民共和國的一部份。受過日本統治的臺灣人固然被歷史歸位為日本國民，一九四九年渡海到臺灣的則是徹底的「民國人」，根深蒂固的自我認識是：中華民國代表正統中國，共產黨所建立的國，是一個「名不正、言不順」的歷史「意外」。要到一九九一年李登輝宣告「動員戡亂時期」終止，臺灣算是正式承認了大陸政權是控制大陸的「政治實體」，也就是說，第一次試圖把中華人民共和國看做一個「平等」的存在。因為自覺是民國正統，所以臺灣人從來不覺得自己要「脫離」中國大陸這個政權，因為他們從來就不曾屬於、從來就不曾效忠過那個政權。

以軍事「大國」姿態來看，「蕞爾小島」的臺灣人這種認知或許是可以被訕笑的，但是若宣稱希望瞭解臺灣人，那麼臺灣人這種深層的歷史情感和心理結構，恐怕是任何瞭解的基礎第一課吧。

臺灣人已經習慣生活在一個民主體制裏。民主體制落實在茶米油鹽的生活中，是這個意思：他的政府大樓，是開放的，門口沒有衛兵檢查他的證件。他進出政府大樓，猶如進出一個購物商場。他去辦一個手續，申請一個文件，蓋幾個章，一路上通行無阻。拿了號碼就等，不會有人插隊。輪到他時，公務員不會給他臉色看或刁難他。辦好了事情，他還可以在政府大樓裏逛一下書店，喝一杯咖啡。咖啡和點心由智障的青年端來，政府規定每一個機關要聘足某一個比例的身心殘障者。坐在中庭喝咖啡時，可能剛好看見市長走過，他可以奔過去，當場要一個簽名。

如果他在市政府辦事等得太久，或者公務員態度不好，四年後，他可能會把選票投給另一個市長候選人。

他要出國遊玩或進修，是一件極其簡單的事，不需要經過政府或機關單位的層層批准，他要出版一本書，沒有人要做事先的審查，寫作完成後直接進印刷廠，一個月就可以上市。他要找某些資訊，網路和書店，圖書館和各級檔案室，隨他去找。圖書館裏的書籍和資料，不需要經過任何特殊關係，都可以借用。政府的每一個單位的年度預算，公開在網上，讓他查詢。預算中，大至百億元的工程，小至電腦的臺數，都一覽無餘。如果他堅持，他可以找到民意代表，請民意代表調查某一個機關某一筆錢每一毛錢的流動去向。如果發現錢的使用和預算所列不符合，官員會被處分。

他習慣看到官員在離職後三個月內搬離官邸或宿舍，撤去所有的秘書和汽車，取消所有的福利和特支。他習慣看到官員為政策錯誤而被彈劾或鞠躬下臺。他習慣讀到報紙言論版對政府的抨擊、對領導人的詰問，對違法事件的揭露和追蹤。他習慣表達對政治人物的取笑和鄙視。

如果他是個大學教師，他習慣於校長和系主任都是教授們選舉產生，而不是和「上級長官」有甚麼特別關係；有特別關係的反而可能落選。他習慣於開會，所有的決策都透過教授會議討論和辯論而做出。有時候，他甚至厭煩這民主的實踐，因為參與公共事務佔據太多的時間。

他不怕警察，因為有法律保障了他的權利。他敢買房子，因為私有財產受憲法規範。他需要病床，可以不經過賄賂。他發言批評，可以不擔心被整肅。他的兒女參加考試，落榜了他不怨天尤人，因為他不必懷疑考試的舞弊或不公。捐血或捐錢，他可以捐或不捐，沒有人給他配額規定。

他按時繳税，税金被拿去救濟貧童或孤苦老人，他不反對。他習慣生活在一個財富分配相對平均的社會裏；走在街上看不見赤貧的乞丐，也很少看見頂級奢華的轎車。他習慣有很多很多的民間慈善組織，在災難發生的時候，大批義工出動，大批物資聚集，在政府到來之前，已經在苦痛的現場工作。

當然，我絕對可以舉出一籮筐的例子來證明臺灣人「進化」的不完全：他的政客如何操弄民粹，他的政治領袖如何欺騙選民，他的政府官員如何顢頇傲慢，他的民意代表如何粗劣不堪，他的貧富差距如何正在加大中……臺灣人本來就還在現代化的半路上，走得跌跌撞撞。但是這條路的地基結構是清清楚楚的：臺灣人已經習慣，情況再壞，總有下一輪的選舉；人民的眼睛是雪亮的，而選票在他手裏。

海峽兩岸，哪裏是統一和獨立的對決？哪裏是社會主義和資本主義的相衡？哪裏是民族主義和分離主義的矛盾？對大部份的臺灣人而言，其實是一個生活方式的選擇，極其具體，實實在在，一點不抽象。

那麼，如果生活方式的選擇才是問題的關鍵核心所在，你跟他談「血濃於水」、「民族大義」、「國家大業」等等大敘述，是不是完全離了題？

## 五、不僅只是經濟而已

這個時候，再回頭去讀連戰和宋楚瑜在北京的演講，兩篇文章的深意就如清水中的白石，異常分明。

連戰是甚麼？他是芝加哥大學政治學博士，是「西洋政治思想史」、「國際法」和「政治學」的教授。宋楚瑜是甚麼？他有「國際關係」和「圖書資訊」的兩個碩士學位，又是喬治城大學政治學博士。兩個人都有國學的基礎，又熟悉西方的政治理論和民主實踐，但是在臺灣一貫重視教育的環境裏，這樣的學識菁英不計其數，他們不算特出。而在臺灣翻天覆地、競爭激烈的民主實驗裏，連戰被視為厚道有餘，能力不足，幾近「昏庸」的角色，宋楚瑜則每況愈下，被描述為極為負面的弄權「大內高手」。

政治，在民主的機器中，已經是一個無比複雜的計算操作。政治人物的形象包裝，利益結盟的輸贏估算，選民的結構分析，新聞議題的引爆和「消毒」，消息透露與否以及透露的時機推敲，效果的評估以及損害的控制……每一個動作、每一句話、每一個眼光，每一個出現或不出現，每一個「遺憾」或「抗議」，都經過沙盤推演。臺灣的民主政治，在華人世界裏，可以說已經玩得「爐火純青」。或者說，玩得過頭，技術操作喧賓奪主，深刻的內涵反而被顛覆，使得「大說謊家」容易粉墨上臺而理想家出不了頭。

這兩個在臺灣玩「輸」了的政治人物，放在大陸的政治環境中，品質反而折射出現。兩個人都引經據典而不費力，都學通中西而不勉強。面對鏡頭，都知道如何運用自己的語言，如何傳遞一種誠懇的眼神和態度。

同時，兩篇演講都是細緻深思的作品，懂臺灣政壇險惡的人，更能體會這兩篇文章之不易。

連戰在北大，就從自由主義談起。他談蔡元培「循思想自由的原則，取兼容並包之意」；他談臺灣大學「爭自由、為民主、保國家」的校風；他指涉杜威的實用主義，「以漸進、逐步的、改良的方式，來面對所有的社會的、國家的問題」；他提出三民主義和社會主義的分岔，又問，「我們要選擇的到底是哪一條路？」

他介紹了臺灣的經濟發展，可是不忘記說，臺灣的成就來自於經濟發展之後開展出來的「政治民主化的工作」。在祝福大陸的經濟成果同時，他緊接着讚美大陸基層的民主選舉制度，甚至於具體地提到中國「憲法」裏頭對於財產作為基本人權的事實。更明確地，他指出，「整個的政治改革……在大陸還有相當的空間來發展。」

宋楚瑜的演講策略，在提出兩件事：一是釐清「臺灣意識」不等於臺獨，一是，臺灣最重要的成就不在於「富」，而在於「均富」。「蔣經國先生在執政臺灣十六年當中，臺灣每一個國民所得從四百八十二美金成長到五千八百二十九美金，成長了十一倍。但最高的所得的家庭五分之一和最低的五分之一一直當中的差距維持在四至五倍以下的水準。」

連戰會不知道大陸官方對自由主義的態度嗎？他會不清楚目前極其嚴重的拆遷和土地剝削問題嗎？宋楚瑜會不知道在「和平崛起」的後面所隱藏的巨大的貧富不均嗎？

顯然都明白，而且，都說出來了。這需要勇氣，需要智慧，也需要承擔。如果兩人的大陸言行一不小心得罪了北京掌權者，所有的苦心都白費了。可是，如果只是一味地討好北京，不單會招來民進黨的趁機撻伐，也會帶來歷史的審判。連戰選擇談自由主義，宋楚瑜選擇談均富，自由民主和均富，恰恰是臺灣人最在乎、最重要、最要保護、最不能動搖不能放棄的兩個核心價值。對於生活在大陸的有思想的人們而言，也恰恰是他們最願意為之奮鬥、為之努力不懈的目標。

如果只談民族感情和國家富強這樣的「大敘述」而這兩個核心「小敘述」不在連宋的演講稿中，我會覺得，這兩人愧對歷史。

幸好，他們說了。在對的時刻，在對的地方。

二零零五年五月二十五日同步刊出於北京《中國青年報》及台北《中國時報》

# 一個主席的三鞠躬

## 零

中新網十月三十一日電——中國國民黨主席馬英九三十日下午首次以黨主席身份，參加上世紀五十年代「政治受難者」秋祭追思會，同時他也代表國民黨，三度向「白色恐怖」受難者家屬表達歉意。

據香港文匯報引述臺灣媒體的報導，馬英九指出，雖然「白色恐怖」時期他只是小孩子，但既然他現在身為主席，就必須承受國民黨過去的責任。

據報導，馬英九三十日參加由一項名為「五十年代政治受難者秋季追思會」，在致詞中他指出，過去他四度參加這個活動，但這次是他首次以國民黨主席的身份參加祭典，他要代表國民黨，向五十年代受難者家屬表達歉意。馬英九三度向受難者致歉，他也是國民黨遷臺四十年來，首度公開為「白色恐怖」事件道歉的國民黨主席。

## 一

在北愛爾蘭的恐怖爆炸活動盛行時，你進入一個餐廳時，朋友會說，嘿，不要坐在靠窗的位子，因為，當恐怖分子持機關槍從街上瘋狂掃射時，坐在窗邊的人先罹難。如果你從古城耶路撒冷搭公共汽車到猶太人的屯墾區去，朋友會拉住你說，不要坐公車，公車是自殺炸彈最大的目標。紐約的高樓、倫敦的地鐵、巴格達的飯店、雅加達的市場，在「危險」的威脅陰影下，人們駐足不前。平常生活裏不可或缺的尋常空間，成為恐怖區。

恐怖分子——那身上綁着炸彈衝進超級市場的人，究竟做了甚麼？

第一，他濫殺無辜。如果他只挑那「罪有應得」的人，震動不會那麼大，絕大多數的人覺得與自己無關，日子可以照樣過。但是一旦濫殺無辜，所有的人都被威脅了，他要的效果，也才能達到。第二，他的目標，在他心目中，是正確的、正義的。因為目標有道德的崇高性和優越性，因此濫殺無辜是一個必要手段。

如果這可以構成恐怖活動的核心定義的話，那麼執政者以公權力整肅異己，就是不折不扣的國家恐怖行為了。

## 二

最早的記憶，是小學五年級，一九六二年。大家都很喜歡的年輕的數學老師正在講課。教室外樓地板突然響起人聲雜沓，匆忙而緊張。穿着黃色卡其衣服的一堆人，手裏有槍，衝了上來。數學老師早已竄出教室，奔向走廊盡頭。孩子們在驚慌中四散。

我們趴在四樓的欄桿往下看。追捕者的腳步聲還在樓梯裏碰碰響着，往下追趕。佈着黃沙的操場上，數學老師的屍體呈大字型打開，臉往上，剛好和我們對望。那黃沙，看起來那麼淡漠，荒涼。

那是我第一次聽見「匪諜」這個詞。

然後就聽得多了。哪一個老師開學時突然不見了，最怪異的是，沒有人問，也沒有人談。一個每天在身邊的人，突然「蒸發」了，而大家都假裝它不曾發生。

耳語。連耳語都很少。只知道隔壁人家的大兒子被吉普車帶走了就沒再回來。但是，連他的父母都不吭聲。作父親的照樣上船捕魚，作母親的赤腳坐在地上修補漁網。那是好大一張網，鋪開來可以蓋住一整條船。小孩鬧着玩鑽進去，一被纏住，怎麼扯都脫不了身。

一九七二年，我讀大學二年級。突然幾個同學不見了。「小胖的男朋友昨晚給抓走了」，是我聽到的唯一的完整的句子。以後的幾十年，事情沒在光天化日之下浮起來過。

我們過着正常的、幸福的、嚮往未來的日子：讀書，考試，畢業。戀愛，留學，結婚。還有，我們繼續愛國，支持我們的領袖。小小的蛛絲馬跡，確實被我們看見，譬如說，報紙新聞版上時不時就出現一則豆腐乾大小的方塊：「勾結奸匪媚敵求榮的×××、×××、×××等三人昨晨伏法。」像陽光下的蜘蛛網，我們把它撩過，抹淨了臉，繼續熱切地走向光明。

三

那被扔進黑暗裏的人們，則繼續腐爛。

究竟是些甚麼人，被國家扔進了黑暗？

是王志鵬這樣不識字的馬祖漁民。在一九六五年七月的一個早上，因為天氣特別清朗，王志鵬說，「今天氣候很好，風向、潮流也不錯，開到內地很近。」船主聽見了，馬上去報告，王志鵬變成「叛亂犯」。

判決書說：「……按共產匪徒竊國以來，禍國殃民，世人有目共睹，大陸愛國同胞，無不以生命為賭注，衝出鐵幕以求自由，王、林二員竟愚昧無知，投匪妄舉實可憫而不可恕。惟查王、林二員知慮淺薄，本於我反攻政策，用示矜恤，依法減輕從寬處有期徒刑五年，以為試法者戒。」

是中學英語老師柯旗化。一整代人讀他所編寫的「新英文法」而考上高中、大學、留學，但是沒有人知道，他因為思想「左傾」而被監禁十七年。罪證之一，據說，是他所擁有的「湯姆歷險記」，作者是馬克．吐溫，和「馬克斯」有關係。都姓「馬」。

是進步青年林書揚和陳明忠，參與了反貪官污吏的民眾運動，一次一次被逮捕，林書揚被關了三十五年，陳明忠「只有」二十一年。是中央日報總編輯李荊蓀，是關切勞苦大眾的作家陳映真，是臺大醫生郭琇琮，是作家和編輯柏楊，因為一幅涉嫌影射的漫畫。

是知識青年大學生，我的同代人，因為他們私下組成讀書會，研讀《資本論》，很多人被判了二十到二十五年的徒刑。不等服刑期滿，已經有人在牢裏成為精神病患。

當然還有真正的「匪諜」，譬如朱諶之，堅持自己的政治信仰到最後一刻。

## 四

很多年、很多年、很多年之後，我們才知道，在五十年代的「白色恐怖」時期，軍事法庭受理的政治案件有二萬九千四百〇七件，受難人大概有十四萬人。司法院的數據更高，政治案件達六、七萬件，如果以每一個案件平均牽連三個人計算，那麼受軍事審判的政治受難人應當在二十萬人以上。如果把這些人的家屬和親人算進去，受到政治迫害的大概就有一百萬人。

很多年、很多年之後，我們才知道，報紙上那豆腐乾大小的新聞背面，藏着是甚麼樣的現實：以一九五零年代的前五年為例，國民黨政權在臺灣至少殺害了四千多人，監禁了八千個以上的「匪諜」，而所謂「匪諜」，真正的共產黨只是極少數，大多數，是對現狀不滿、心懷理想的知識分子和文化人，是有正義感的工人和農民，是糊裏糊塗不知所以被構陷的小市民。貧窮的五零年代，一個人的平均月薪是兩百元，檢舉「匪諜」的獎賞卻可能高達二十萬。

制度，鼓勵構陷。制度，創造冤假錯案。

一九八四年十二月，臺灣最後兩個政治犯走出了監獄；坐滿了三十四年零七個月的思想監獄，他們走進陌生的陽光。

## 五

有這麼多「無辜」的人受難，是因為，主事者必須「濫殺無辜」才能達到他要的震嚇效果：只有在無辜的人也會遭難時，人們才會真正的心生恐懼，才會屈服。

同時，主事者相信自己動機的高尚，信仰自己目標的正確。「臺灣是反共抗俄的基地。凡是食息於臺灣的人，不論男女老幼，都應該一面有死守臺灣的決心，另一面有打回大陸的決心……假如喪心病狂，竟與奸匪相勾結，……那就真正死有餘辜。」（一九五零年七月十七《中央日報》社論）

為了一個自認「崇高」的目標，整肅意見相左的人，不惜濫殺無辜，以製造震嚇效果，是民間做的，叫做恐怖主義。政府為之，叫做國家恐怖主義。

## 六

成千上萬的人，本來應該是我們尊敬的老師、倚賴的同事、寵愛的子女、依戀的情人，卻在我們看不見、聽不見的角落裏嘆息、哭喊、瘋狂，流血，倒地時滿口塵埃。而同時，我們在校園的陽光裏追求個人的幸福，經濟在起飛，社會在繁榮，國家建設在大步開走。

你幾乎以為，那些未經審判就被槍斃的人，那些被扔在黑暗中逐漸腐爛的人，是社會進步必付的代價：以他們腐爛的屍體來肥沃我們的經濟發展。

可是有一個問題還是避不開的：我們長期許默黑暗的存在，是因為我們天真。在我們的天真裏，那掌權者所教給我們的價值，仍舊是公平、正義、和平、真理那一套。他必須這麼教，否則他無法令我們相信他目標的崇高和正確。然而，我們是認真的。因為我們天真，所以我們認真，愈天真的人，愈認真。當社會繁榮到某一個程度，我們就不可避免地回過頭來跟他較真，試圖去看清楚、弄明白，公平正義究竟在哪裏。

你再怎麼天真也不能不看見漫天的蜘蛛網，不能不聽見鬼魅一樣的嘆息，踩到青草堆裏的白骨。

七

臺北市文化局新聞稿
發稿日期：民國九十年一二月十一日

## 撥開歷史的迷霧
### 黃榮燦墓勾起二二八與白色恐怖記憶

走進二二八紀念館，一幅震懾人心的木刻版畫「恐怖的檢查」，令人印象深刻，卡車上滿載荷槍的軍人托着槍桿，向跪地求饒的小販們威嚇，私煙散了滿地，驚恐溢於言表。這幅畫被視為臺灣二二八事件的「聖畫」，也常在民主運動中使用，但作者姓名卻總被隱匿。很少人知道這是一位來自四川，年方廿九的年輕版畫家的創作，但火熱生命卻亡魂於白色恐怖中，直到半世紀之後才被人發現葬身處。

十一日上午，龍應台以文獻會主委身份，會同日籍學者橫地剛、政治受難人互助會總會長吳澍培等人，赴六張犁公墓探視木刻家梅丁衍在六年前於荒煙漫草中找到的黃榮燦墓址。黃榮燦，木刻版畫家，四川重慶人，民國三十四年自大陸來臺，任職師大美術系，作育英才無數，作者當年親眼目睹二二八事件，作品「恐怖的檢查」是現存極稀少紀錄二二八事件景況的美術作品。二二八之後，黃榮燦並未逃離臺灣，相反地仍積極活躍藝壇，遇害前還在中山堂舉行現代畫展，被喻為臺灣第一位研究抽象畫派者。民國四十一年十一月因匪諜嫌疑於馬場町被槍決，事件發生後，不僅幾位美術系老師合開的美術研究班草草結束，畫壇寫實主義也隨之夭折，一位當時正在影響臺灣近代美術發展的巨擘自此殞落。

半世紀即將過去，民國八十四年發現黃榮燦先生埋骨的六張犁公墓，當地統計出的白色恐怖受難者墳冢達兩百多座。逝者已矣，但歷史不容空白，龍應台表示，從二二八、白色恐怖、臺灣文化協會、乃至於更早的芝山岩事件、清代義冢，一段段清楚的歷史切片，都給人很大的省思空間。黃榮燦用他火熱的藝術生命走訪蘭嶼原住民，並用心描繪當時生活在貧困中的底層民眾生活，帶來具有人道關懷的寫實主義畫風，非常具有啓發性。龍應台希望透過嚴肅的歷史，使規劃中的紀念公園還原白色恐怖的史貌，也讓臺北人學會跳脫紛擾的爭論，用更寬廣的文化胸襟面對未來。

# 八

臺北市文化局新聞稿
發稿日期：民國九十年十二月十七日

## 文化局將指定白色恐怖「亂葬崗」為歷史建物

### 魂葬六張犁

民國四十一年苗栗客籍人士徐慶蘭因叛亂被逮捕，同年八月於馬場町刑場被槍決，此後屍首即不知去向。直到民國八十二年五月廿八日，才被他弟弟曾梅蘭鍥而不捨地在六張犁公墓的竹叢裏找到埋屍處。經過整理，當地一共發現兩百零一個白色恐怖受難者的墓碑，隱沒近半世紀的歷史，終於又重新出土。

文化局長龍應台十七日下午會同臺大歷史系教授王曉波、臺大城鄉所教授夏鑄九、中原建築系教授憲二，前往六張犁公墓頂會勘白色恐怖墓塚的歷史保存價值。母親被當作「匪諜」遭槍斃的王曉波教授表示，戰後國際冷戰，從一九四九到一九五四年之間，國民政府進行言論管制，處決許多異議分子，六張犁公墓所淺淺掩埋的這批冤魂，都是當年槍決後沒有家屬領回埋葬的受難者。

上週二文化局才在此就版畫家黃榮燦事蹟進行回顧，墳地現場雖經受難者家屬稍做整理，但保存狀況並不理想，現場也沒有任何歷史的說明，文化局希望經由歷史建築或古蹟的指定，確認這批墓冢的保存範圍與文化價值，讓白色恐怖歷史出土，具有正面的文化意義。

龍應台表示，今天的指定有三層意義：第一是打破過去只從「建築」或「美學」的觀點來認定古蹟或歷史建築，而從歷史的眼光，使所謂「文化資產」的內涵更深厚；第二是把陰森的墓地和恐怖的記憶，轉化為積極的歷史教育場所，讓下一代人透徹認識國家的濫權所可能帶來的災難後果；第三層意涵則是把受難者的亂葬崗納入文資法的保護對象，避免遭到可能的破壞。

文化局在指定歷史建物的法定程序完成之後，將協助社會局把亂葬崗保存成為白色恐怖受難者的紀念墓園。

# 九

**《亞洲週刊》二零零五年十一月六日**

徐宗懋：一九九九年，我為了編輯《二十世紀臺灣》畫冊，在許多單位的檔案室搜尋有價值的歷史照片。一天晚上，我在一家過去很有影響力的報社的相片櫃底部找到一袋沾滿灰塵的照片。打開袋子，赫然看見一批血淋淋的槍殺照片，發佈單位是「軍事新聞社」，發佈時間是一九五零年。這些照片是「國防部」發佈特定新聞單位，以便刊在報紙上作為警示之用，或許畫面過於血腥，絕大部份均未曾公佈。後來我向該報購買了這批珍貴的照片，還不確定能否以某種形式向外公開。

二零零零年，我向臺北市文化局局長龍應台提到此事，把照片給她看，最後決定以文化局的名義在二．二八紀念館的地下展廳舉行特展。這是一項極為勇敢的決定。臺灣社會還沒有成熟到能客觀看待不同政治顏色的獻身者的程度，在長達五十年滴水不漏的反共教育後，把共產黨員以正面形象展示出來，無論其中強調何種人權或人道思想，結果都不可能是風平浪靜的。

二零零零年八月二十五日，《一九五零仲夏的馬場町——戰爭、人權、和平的省思》特展在二．二八紀念館揭幕。這次展覽打破禁忌，客觀陳述了上世紀五十年代初國民黨政權在臺北馬場町刑場大肆槍殺共產黨員與左翼人士的歷史。由於選題特殊且披露了新史料，這個展覽被媒體廣泛報導，展覽場每天都擠滿了觀眾，說這是該紀念館開館以來影響最大的一次展覽，應該不為過。

## 十

我記得那個中午，是午休時間，徐宗楙把照片在我桌上攤開，陽光剛好穿過百葉窗照進來，一條一條印在照片上，白花花一片。有好幾張照片，是執刑者對着被槍斃者的正面近距離拍的，當作死刑完成的證據。死者的眼睛呆滯而突出，對着鏡頭。

我看看玻璃窗外，對面摩天大樓建到一半，吊車在空中滑動，工人，螞蟻一般細小，在升降機裏揮手。遠處傳來消防車的呼嘯聲，由遠而近，由近而遠。這些五十年前因為政治信仰而被槍斃的人，可知道，世界最高的樓，即將出現在這個繁華的城市裏？他們的犧牲，值不值，用甚麼標準來量？誰又有資格來說？

徐宗楙完全清楚我的處境：這黑白照片裏的，都是被國民黨政權所虐殺的人。現在，二零零零年，是民進黨執政的時代。辦這個展覽，很可能為我招來兩批人馬的攻訐。那衛護國民黨的，會認為這是用過去醜惡的歷史來打擊已經失去政權的國民黨。那支持民進黨的，會認為我在為中國共產黨辯護，更可能認為，我故意強調「外省人」在白色恐怖中被殺之眾多，來淡化二二八事件中國民黨殺害「本省人」的相對罪責。

政治風暴，是逃不掉的。

我看看徐宗懋，說，「辦吧。」但是請他在展覽時，凡是槍斃者的正面照，都必須用一面黑紗罩着。照片旁邊寫上一句話：「為了尊重死者和死者可能倖存的家屬，我們加上黑紗。如果您願意看，請自己揭開。」

展覽開幕後，民眾反應熱烈，但是攻訐果然如排山倒海而來。我被稱為「劊子手」、「加害者」、「文化希特勒」、「共產黨的同路人」……

## 十一

我其實只是不相信，人權應該以政治立場來區隔。國民黨、共產黨、民進黨、他媽的黨，如果人的尊嚴不是你的核心價值，如果你容許人權由權力來界定，那麼你不過是我唾棄的對象而已。不必嚇我。

從十歲那年看見數學老師在黃沙操場上的「大」字屍體，我大概已經開始慢慢走向今天。

## 十二

臺灣的民主，在「兩顆子彈」之後，被很多人拿來訕笑，做為負面教材。是的，民主了之後，仍舊有權力的濫用、官商的勾結、多數的暴力、庸俗之淩駕於品味、混亂無能之取代效率。電視上呈現的叫囂和充血，被當作臺灣民主的註冊商標，外地人開心地嘲笑，臺灣人羞恥地低頭。

我總覺得，奇怪，為甚麼你偏偏看不見那靜水流深的地方？

## 十三

一九八七年八月三十日，「臺灣政治受難者聯誼總會」成立。

一九八八年九月二十七日，「臺灣地區政治受難人互助會」成立。

一九九二年，刑法一〇〇條廢止。刑法一〇〇條，所謂的「言論內亂罪」，結合「動員戡亂時期」的〈懲治叛亂條例〉，是導致四千人被槍斃、上萬人長期監禁的法源條例。

一九九七年九月二十六日，「五十年代白色恐怖案件平反促進會」成立。主要訴求：1、推動平反活動。2、催促政府公佈相關資料。3、成立六張犁和馬場町的「白色恐怖紀念公園」。

一九九八年六月十七日，公佈制定〈戒嚴時期不當叛亂暨匪諜審判案件補償條例〉。九月五日設立「財團法人戒嚴時期不當叛亂暨匪諜審判案件補償基金會」，開始對受難者家屬發放補償金。

一九九九年，控制言論、提供文字獄法源基礎的〈出版法〉廢除。

二零零零年八月，臺北市政府歷經兩任市長，設立了馬場町紀念公園，悼念在此被槍殺的所有政治犯。

二零零零年十二月，臺北縣政府立碑紀念「鹿窟事件」。一九五二年十二月二十九日，軍警包圍臺北縣鹿窟山區，大肆圍捕地下共產黨人，前後四個月逮捕二百多人，是五十年代臺灣最重大的政治案件。

二零零一年，修訂〈陸海空軍刑法〉，使軍人也受合乎憲法的人權保障。原有四十四項「唯一死刑」修訂後只剩下兩項。

二零零一年，修訂〈冤獄賠償法〉，擴大賠償範圍，包括流氓。

二零零二年，廢止〈懲治盜匪條例〉。

二零零二年六月二日，長年監禁政治重犯的綠島設立了人權碑，碑文作者是曾在此監禁十二年之久的作家柏楊：「在那個時代，有多少母親，為她們被囚禁在這個島上的孩子，長夜哭泣。」

二零零三年一月十一日，六張犁「亂葬崗」正式成為「戒嚴時期政治受難者紀念公園」，對民眾開放。

## 十四

〈戒嚴時期不當叛亂暨匪諜審判案件補償條例〉是個令人傷心的療傷劑。「補償條例」？為何不是「賠償條例」？「補償」，代表你對我寬大，「賠償」才代表你向我認錯。受難者家屬要求政府更改文字，但是政府尷尬了：用「賠償」，那麼是不是代表從前的法律全都錯了呢？是不是所有的法官、警察、獄吏、公務員，當年的軍人，都得追究責任、判刑呢？

「補償」，是一個暫時止痛折衷的辦法。到二零零四年九月為止，依據這個條例已經受理了七千四百五十四件，申請人數一萬八千零四十六人，已經接到補償的有五千九百八十四件，其中死刑是六百九十五件。最高的補償金是六百萬臺幣。

冤假錯案在補償之列，那麼，真正為共產黨滲透到臺灣來的「匪諜」被逮捕、槍殺，在六十年後的今天，補償不補償？

## 十五

我把條例拿在手上。短短十四條，薄薄兩張紙，卻重得像鐵，沉得像一口深不見底的黑井。那文字，簡單，俐落：

2、本條例所稱戒嚴時期，臺灣地區係指自民國三十八年五月二十日起至七十六年七月十四日止宣告戒嚴之時期；金門、馬祖、東沙、南沙地區係指民國三十七年十二月十日起至八十一年十一月六日止宣告戒嚴之時期。

3、……為處理受裁判者之認定及申請補償事宜，得設財團法人戒嚴時期不當叛亂暨匪諜審判案件補償基金會；其董事由學者專家、社會公正人士、法官、政府代表極受裁判者或其家屬代表組成之。

受裁判者及其家屬代表不得少於基金會董事總額四分之一。

……

6、補償範圍如下：

一　執行死刑者。

二　執行徒刑者。

三　交付感化（訓）教育者。

四　財產被沒收者。

7、基金會應獨立超然行使職權，不受任何干涉，依調查之事實及相關資料，認定受裁判者，並受理補償金請求及支付。

8、有下列情形之一者，不得申請補償：

……

二 依現行法律或證據法則審查，經認定觸犯內亂罪、外患罪確有實據者。

凡是依照今天的「現行法律」不算觸犯內亂外患罪的，或者沒有實據的，都可以獲得補償。是的。即使是真正的「匪諜」，只要當時不是經過正當程序的審判，在今天都是補償的對象。

## 十六

二零零五年十月三十日下午，上百位老人家，佝僂着背，拄着拐杖，相互扶持地蹣跚行走。秋天的風獵獵地吹，他們的頭髮，全白了。

這地方叫馬場町。過去這幾年，每一年秋天，他們來到這裏悼念他們五十年前倒下的左翼同志。屍體在移走前，地上總有一攤血。人們把土聚攏來，把血掩上；據説，因此這兒就有了一個山丘。

二零零五年十月這一場秋祭，他們獻給那永遠年輕的同志的詩，是這樣的：

安息吧！死難的同志，別再為祖國擔憂。
你流的血、照亮的路，指引我們向前走。

你是民族的光榮，你為愛國而犧牲。
冬天有凄涼的風，卻是春天的搖籃。
安息吧！死難的同志，別再為祖國擔憂。
你流的血、照亮的路，我們繼續向前走。

二零零五年，半個世紀之後的國民黨主席也在現場，他向老人家深深、深深鞠躬，老人家微微回禮。

馬英九背起國民黨的十字架，向歷史懺悔，是一個重要的象徵，但卻不是孤立的、獨特突發的事件，而是臺灣民主道路上標誌里程的眾多指路牌之一。他的深深一鞠躬，透露的不僅只是國民黨的內在改變，最核心的驅動力，其實在於臺灣的民主，造成了臺灣整體的深層質變。沒有民主，不會有馬英九的鞠躬。

## 十七

二零零五年二月二十七日，被國民黨政權監禁過二十一年的政治犯陳明忠破天荒地踏進了國民黨的中央黨部，發表演講，題目是〈被扭曲的歷史集體記憶〉。老人最後的結語是這麼說的：

我與妻子，及妻子的兄長為「二二八」和「白色恐怖」的受難者，然而，今天到中國國民黨中央黨部的目的，不是為了個人與家庭的悲慘遭遇來討甚麼公道。只是希望同樣的苦難不要在下一代發生，因此臺灣各政黨如果對二二八有真正的理解與反省的話，光是道歉或是補償是不夠的，更重要的是，能解決發生悲劇的歷史根源，結束兩岸的內戰敵對狀態，島內的族群問題自然可以迎刃而解，締造永遠的和平。

老人的寬厚、平和，令人動容。這是一個不曾被打倒、拒絕被扭曲的靈魂。

十八

可是，「解決發生悲劇的歷史根源」從哪裏開始？如果埋着血的土堆不被打開，如果亂葬崗的屍骸不被發現，如果無數的陳明忠還在黑暗裏從腳腐爛到喉嚨，如果人們沒有勇氣把那「被扭曲的歷史集體記憶」攤開在陽光下，請問，「解決悲劇的歷史根源」從哪裏開始？

二零零五年十一月二十二日於臺灣清華大學完稿
北京《中國青年報》二零零五年十一月二十三日獨家刊出

# 請用文明來說服我

## ——給胡錦濤先生的公開信

### 「胡錦濤」代表甚麼？

**錦濤先生：**

國民黨主席馬英九先生在二零零六年一月中勉勵他的國青團青年學員時，說了這麼一句玩笑的話：「希望將來國青團也能培養出一個胡錦濤。」

我相信這是他從政以來所說過的最不及格的笑話。

馬英九先生很可能只單純想到，「胡錦濤」是從共青團體制裏脫穎而出的國家領導人，但是會說出這樣的話，也透露了他顯然不曾更深刻地細思過，共青團是個甚麼樣的體制？這個領導人所領導的「國家」，是個以甚麼為本的國家？他的權力來源是甚麼？正當性何在？在二十一世紀初掌握中國政權的「胡錦濤」這三個字，代表了甚麼意義？

它當然代表了超高的經濟成長指數，讓世界驚詫，讓國人自豪，可是同時，在政治自由的指標評比上，中國在世界上排名第一百七十七名。您可以說，這是以「西方右派」的標準來衡量的，不符合「中國國情」。好，讓我們用一個社會主義的指標吧。追求資源分配的平等，不管均富或均貧，都是左派的核心理想吧？在貧富差異上，中國的基尼系數超過零點四，逼近零點四五，這已是社會大動亂的門檻指標。指標數字下，多少人物慾橫流，多少人輾轉溝壑。

也就是說，「胡錦濤」三個字在二十一世紀的當下歷史裏，仍代表一種逆流：在追求民主的大浪潮中，它專制集權；在追求平等的大趨勢裏，它嚴重的貧富不均。

在您剛剛上任時，人們曾經對年華正茂的您寄以期望，以為，作為一個新世紀的人物，您的心靈和視野會比您的前輩們更深沉，更開闊。共產黨權力革命的殺伐蠻橫之氣，終究要被人文的體貼細緻和文化的潤物無聲所取代。但是，兩年了，我們所看見的，是甚麼呢？

## 被割斷的喉嚨

促使我動筆寫這封信的，是今天發生的一件具體事件：共青團所屬的北京《中國青年報》《冰點》週刊今天黃昏時被勒令停刊。

在此之前，原來最敢於直言、最表達民間疾苦的《南方周末》被換下了主編而變成一份吞吞吐吐的報紙，原來勇於揭弊的《南方都市報》的總編輯被撤走論罪，清新而意圖煥發的《新京報》突然被整肅，一個又一個有膽識、有作為的媒體被消音處理。這些，全在您任內發生。出身共青團的您，一定清楚《冰點》現在的位置：它是萬馬齊瘖裏唯一一匹還有微弱「嘶聲」的活馬。

而在一月二十四日的今天，這僅有的喉嚨，都被割斷。在《冰點》編輯們正式得知這個「割喉」處分之前，所有跟《冰點》有關的字和詞，已經從網路上徹底消滅。

在您的領導之下，網路警察的絕對效率，令人駭異。

選在今天執「刑」，誰都知道原因：春節前夕，人們都已離開工作崗位，準備回鄉圍爐。報紙開始撲天蓋地報導娛樂，製造溫馨；電視開始排山倒海地表演聯歡，生產快樂。選在這一天割斷中國僅有的喉嚨，然後讓普天同慶的歡聲把它淌血的聲音遮住。行刑者躡手躡腳走開，過完年，一切都已了無痕跡。網路警察的效率和現代傳媒的操弄，是您所呈現的二十一世紀統治技巧。

網路警察動作快，是怕自己的人民知道；精算時間動手，是怕國際媒體知道。偷偷摸摸地執行，費盡心機地隱藏，洩漏的是政府的虛心和害怕。但是，請您告訴我這個困惑的臺灣人民：這「和平崛起」大有為的政府，究竟為甚麼如此的虛心和害怕？

《冰點》的停刊，其實沒有人真正的驚訝，人們早在暗暗等待，好像一個宿命論者永遠在等着鬼的半夜敲門索命；我發現，太多的災難和壓迫，使得大陸很少人相信好事會長久、夢想能成真、正義能落實。刊出龍應台的〈你可能不知道的臺灣〉時，網路上已經四處流傳《冰點》

被封殺的臆測；今天，只是「鬼」終於被等到了。而《冰點》「勇敢」到甚麼程度使得共產黨用這樣陰暗的手段來對付它？

## 仇外的建國美學

今天封殺《冰點》的理由，是廣州大學袁偉時先生談歷史和教科書的文章。因為它「和主流意識形態相對……攻擊社會主義，攻擊黨的領導」。而「毀」掉了一份報紙的袁偉時先生的文章，究竟說了甚麼的話，招來這樣的懲罰？

我認真讀了這篇文章。袁偉時以具體的史實證據來說明目前的中學歷史教科書謬誤百出不說，還有嚴重的非理性意識形態的宣揚。譬如義和團，教科書把義和團描寫成民族英雄，美化他對洋人的攻擊，對於義和團的殘酷、愚昧、反理性、反現代文明以及他給國家帶來的傷害和恥辱，卻隻字不提。綜合起來，教科書所教導下一代的，是「1、現有的中華文化至高無上。2、外來文化的邪惡，侵蝕了現有文化的純潔。3、應該或可以用政權或暴民專制的暴力去清除思想文化領域的邪惡」。對於這種歷史觀的教育，袁偉時非常憂慮：「用這樣的理路潛移默化我們的孩子，不管主觀意圖如何，都是不可寬宥的戕害。」

錦濤先生，我不是不知道，共產黨是以美化秦始皇、盜跖、太平天國、義和團這樣一個歷史脈絡來奠定自己的權力美學的。我也不是不知道，每一個政權都會設法去建構一個所謂建國神話和圖騰——您因此一定也很理解民進黨的企圖。但是，建構的國族神話裏如果藏有仇外情緒，就是一個必須正視的危險。在二十一世紀，國界幾乎快要不存在，地球愈來愈是一個緊密的村子，因為唇齒相依，不得不憂戚與共。中國為甚麼極力爭取主辦奧運和世博？目的不就是企圖以最大的動作向世界推銷一個新的中國形象：你看，中國是一個充滿發展能量、愛好世界和平、承擔國際責任的泱泱大國！

如果對外面的世界推銷的是這樣一個形象，關起門來教下一代的，卻是「中華文化至高論」、「外來文化邪惡論」以及義和團哲學，請告訴我，哪一個中國是真實的？總書記能夠光明磊落大聲地告訴國際社會嗎？

袁偉時說，教科書不能罔顧史實，不能讚美暴力，不能教下一代中國人對自己狂熱，對外人仇視。這樣的認知，錦濤先生，在我們這裏，叫做「常識」。在北京，竟然是違反「主流意識形態」的入罪之論。那麼能不能請您告訴我這個臺灣人民，您的主流意識形態是甚麼？

## 哪一個是你真實的面孔？

我們暫且不管大陸的知識分子和一般人民讀者怎麼看這《冰點》事件，但是我很願意和您分享像我這樣一個臺灣的知識分子的感受。至於龍應台這樣思維的人在臺灣有沒有代表性，有沒有影響力，您自己判斷。

我對中國大陸有着深切厚重的情感，來自命運血緣，歷史傳統，更來自語言文化。在臺灣生長，我同時發展出與這一條「家國認同」情感綫平行並重的執着，那就是對生命的尊重，對人道的堅持，而從這種尊重和堅持衍生出其他的基本價值：譬如主張獨立的人格、自由的精神，譬如對貧富不均的不能接受，對國家暴力的絕不容忍，對統治者的絕不信任，譬如對知識的敬重，對庶民的體恤，對異議的寬容，對謊言的鄙視……

這一條我稱之為「價值認同」的理性線。當「家國認同」的情感綫和「價值認同」的理性綫相互衝突時，我如何取捨？毫無猶豫，我選擇後者。二十年前，我曾經寫《野火》和國民黨那個「家國」對抗；李登輝當政時，我曾經為文批判他的虛偽與狹隘；陳水扁不公不義，又迫使我執筆徹底抵抗。所以您如果鬧不清我究竟是「統派」或是「獨派」，不妨這樣試試：臺灣和大陸，哪邊符合我的「價值認同」，就是我的「家國」。哪邊違背我的「價值認同」，就是我離之棄之抵抗之的對象。如果兩邊都符合我的「價值認同」，那就開始討論統一吧。所以，我是統派還是獨派呢？

以這樣的價值結構來看今天《冰點》事件，您說我這個臺灣人看見甚麼？

我看見這個我懷有深切厚重情感的血緣「家國」，是一個踐踏我所有「價值認同」的國度：

它，把真理當謊言，把謊言當真理，而且把這樣的顛倒制度化。它，把獨立的知識分子當奴才使用，把奴性的知識分子當家僕使用，把奴才當——啊，它把鞭子、戒尺和鑰匙，交到奴才的手裏。

它面對西方是一個臉孔，面對日本是另一個臉孔，面對臺灣是一個臉孔，面對自己，又是一個臉孔。

它面對別人的歷史持一個標準，它面對自己的歷史時——錯了，它根本不面對。它選擇背對自己的歷史。

它擁抱神話，創造假象，恐懼真相。他最怕的，顯然是它自己。

……

您，還要我繼續說下去嗎？

## 請說服我

我真正想說的是，錦濤先生，作為一個臺灣人，我實在不在乎團團和圓圓來不來臺北，雖然熊貓可愛得令人融化。但是我這樣的臺灣人可真在乎《冰點》的安危，就像很多、很多香港人真在乎程翔那個被逮捕的記者的安危。如果中國的「價值認同」是由一群手持鞭子、戒尺和鑰匙的奴才在壟斷它的解釋和執行，而獨立的人格、自由的精神是被打擊、戒律、監控的對象，請問，我們談統一的起點理由究竟是甚麼呢？而我對中國的情感還是有條件的，臺灣還有很多熱愛、深愛、無條件地執着地愛中國那片深厚土地的人——您又用甚麼東西去跟他談統一，而他不致被人嘲笑、咒罵呢？

重點不在團團和圓圓，您知道嗎？重點也從來就不在民進黨，您明白嗎？

重點就在《冰點》這樣具體而微的事情上，因為，說穿了，錦濤先生，您容不容許媒體獨立，您尊不尊重知識分子，您用甚麼態度面對自己的歷史，以甚麼手段去對待人民，每一個最細小的決定，都繫在「文明」這兩個字上頭。經歷過野蠻，我們不得不在乎文明。

請用文明來說服我。我願意誠懇傾聽。

**龍應台**

二零零六年一月二十四於臺北陽明山

本文於二零零六年一月二十六日同步刊出於臺北《中國時報》、香港《明報》、吉隆坡《星洲日報》、美國《世界日報》

# 附錄：「冰點事件」大事記

**二零零六年一月十一日**

《中國青年報》第五七四期《冰點》週刊刊登廣州中山大學哲學系袁偉時教授〈現代化與歷史教科書〉一文，中共中央宣傳部在新聞局《新聞閱評》上對該文進行嚴厲批評。

**二零零六年一月二十四日**

共青團中央宣傳部下令《冰點》週刊停刊。同日下午五時中國各大媒體接到中宣部、國務院新聞辦、北京市新聞局等部門的通知，禁止中國大陸其他媒體報導《冰點》週刊停刊事情。

**二零零六年一月二十六日**

《冰點》主編李大同在網路上發表〈就《冰點》週刊被非法停刊的公開抗議〉。

龍應台文章〈請用文明來說服我——致胡錦濤公開信〉在臺灣《中國時報》、香港《明報》、馬來西亞《星洲日報》、美國《世界日報》同步刊出。

**二零零六年二月六日**

李大同對中青報團中央提出正式申告書，檢舉中宣部勒令停刊非法，請中央紀律檢查委員會進行調查。

**二零零六年二月十四日**

十三位共黨元老發表於二月二日寫就之〈關於冰點事件的聯合聲明〉，要求《冰點》復刊。

**二零零六年二月十四日**

十三位作者發表〈《冰點》週刊部份作者致中共中央政治局諸常委的公開信〉。

**二零零六年二月十六日**

《中國青年報》黨組織宣佈《冰點》將在三月一日復刊，但主編李大同、副主編盧躍剛免職。

**二零零六年二月十七日**

李大同、盧躍剛發表「聯合聲明」抗議書。

**二零零六年三月一日**

《冰點》週刊恢復出版。

# 今天這一課：品格

## 光榮的一日

今天，是一個光榮的日子。將來的歷史會寫到，在二零零六年六月二十七日這一天，臺灣人行使罷免權，督促一個總統下台。

不論今天的罷免結果如何，臺灣人民又在華文世界的民主進程和憲政中上，豎立了一個全新的里程碑。

表面上，臺灣一片動盪；人們每天看見、聽見，被撲天蓋地包圍的，是電子媒體的誇張和聳動、街頭巷尾的挑釁和喧囂、醜聞弊案的揭發或遮蓋、領導人物的尊嚴掃地、意見菁英的各說各話。民主似乎墮落成只剩下政治操作的爾虞我詐；價值的混淆，是非的顛倒，社會互信的嚴重腐蝕，使人開始懷疑，這一切是否值得。

但是，你不能不看見，在這喧囂混亂的同時，人民在集體補課，補修在威權時代裏不准你修的公民課。

每一件貪腐弊案的揭露，都使政府的權力運作增加一分透明。每一篇對金融勾結的報導，都使人民對公共政策多一份警惕。每一次政治人物的演出，都使人民更熟悉他的伎倆，看穿他的破綻，認清他的品質。不要小看了臺灣人民，臺灣人民在弊案中累積他對權力本質的認識，在喧囂中磨利他對政治人物的判斷，在紛紜中加深他對公共政策的理解，在混淆中培養他對真偽價值的辨識。

他掙脫了權威的束縛，實踐過選舉，實驗過公投，現在，他再跨出一步，敢於嘗試罷免。罷免可以不成功，但是人民已經給政治人物一個清清楚楚的警告：我可以選你，就可以罷免你。

世界上沒有人能否認：臺灣有的，是整個華人世界裏政治敏感度、成熟度、自主性最高的公民群體。

補課的代價可能很高，可是成熟的過程沒有不痛苦的；今天，我以身為臺灣公民為榮。

## 足球不只是足球

每個國家都有自己的歷史負擔。昨天，收到一封電郵，作者是一個十七歲的德國少年：

麥茵河中央搭起一個大得不能再大的電視銀幕，兩邊都可以看到球賽現場轉播。河兩岸擠滿了人，新聞說，起碼有三十萬人聚到河邊來，隔着中間的河水，兩岸對看。

馬路上、河岸邊、廣場上、酒館裏，擠滿了人，各色人種……最奇怪的是，每個人都在微笑，都在擁抱，都在唱歌。我從來沒見過德國人對彼此那麼友善，對陌生人那麼熱情，我從來沒見過德國人那麼喜悅，那麼開懷。

我也從來沒見過這麼多德國國旗同時出現——幾千幾萬幅國旗在人們的手裏揮舞飄動。我從來沒見過德國人那麼以自己的國家「自豪」，其實，我從來沒見過德國人以自己的國家「自豪」過——這真是第一次。大家在揮舞國旗為德國隊加油的時候，好像納粹的陰影真的消失了，好像人們突然發現——我們是德國人，是一體的。

我這才發現，這次主辦足球世界盃，對德國人的「認同」是多麼、多麼重要的一件事。我很吃驚。

這個十七歲的德國青年以一種最天真的方式認識了政治領袖們非常明白的一種規則：成功地主辦國際體育競賽可以給國民帶來自豪感以及向心力。在全世界的注目之下，把盛會辦得風光，人民會以他所屬的國家為榮；國際競技所帶來的「同舟共濟」和「同仇敵愾」的情感，又能加深人民的國家認同和社會凝聚。每一個有能力的國家都卯足了勁在競爭重大國際競技或博覽的主辦權，除了經濟考量之外，這「凝聚認同」、給國人光榮感的政治考量，是一個核心因素。

## 元首不只是經理

一個國家的元首，在我的理解，有四個核心的責任：第一，不管國家處境多麼艱困，他要有能耐使人民以自己的國家為榮，使國民有一種健康的自豪感。第二，不管在野勢力如何強悍，他要有能耐凝聚人民的認同感，對國家認同，對社會認同，尤其是對彼此認同。第三，他要有能耐提得出國家的長遠願景。人民認同這個願景，心甘情願為這個願景共同努力。第四，他不必是聖人，但他必須有一定的道德高度，去對外代表全體人民，對內象徵社會的價值共識。小學生在寫「我的志願」時，還可能以他為人生立志的效法對象。

以這個標準來衡量帶領我們進入二十一世紀的這位元首，是的，他近乎災難性地不及格。

當他在空中做外交「迷航」的時候，當他讓霸氣的美國政府直接或間接羞辱他的時候，臺灣人沒有自豪感可言，只有沉默的屈辱。當他用充滿暴力暗示和誘引衝突的語言對人民說，「我願意犧牲，扣扳機吧」的時候，臺灣的社會是被精心設計地撕開割裂，而不是和解和凝聚。當他對一件又一件的弊案無法澄清，前後矛盾，而同時又拒絕反省的時候，他不是一個道德典範，他是一個典範的顛覆與嘲弄。

至於可憧憬的願景——誰説得出甚麼是臺灣的願景？這個社會，已經有好幾年，沒有人在談願景了。舉國的力氣，投擲在對一個人的爭執上。一個應該是解決問題的樞紐，變成問題的來源。

我們賦予元首的任務，是讓他以超出我們的道德力量去做教育孩子的人格典範。是讓他以高於我們的眼光，為我們找到方向，指出夢想之所在。是讓他以遠比我們開闊的胸襟去把那撕裂的，縫合；使那怨恨的，回頭；將那敵對的，和解；把那劍拔弩張的，春風化雨。

他回報我們的，卻正好是一切的反面。

這個是非，在我眼中，是分明的。元首不是一個公司的總經理，只需談執行績效和法律責任。對於元首，法律責任只是最低要求、最末端的一件事；他第一要擔起的是政治責任和道德責任。政治責任和道德責任都不是依靠法律條文來規範的。

規範政治和道德責任的，是一個社會的整體文明和教養。

## 誰教過他「品格」？

當一個元首成為「千夫所指」時，一個深層問題必須追究的是，這樣的元首和他的裙帶集團，究竟是怎麼產生的？

他們的家庭和小學教育，有沒有教過他們，一介不取是基本操行，誠實是第一原則？他們的中學教育，有沒有教過他們，公和私的界線要嚴格分明，人要為自己的行為負責？

元首的大學法律系教育，有沒有教過他：最大的權力必須以最大的謙卑來承擔？有沒有教過他韓愈在一千兩百年前說過的話：「有官守者，不得其職則去」？有沒有教過他薩穆爾．斯邁爾斯在一百三十年前說過的話：「一個偉大的國家領袖在他身後留給國家的財富是，一個毫無瑕疵的生活楷模，是所有後人在形成自己品格時仿效的榜樣」？

他所一路成長的社會環境——父母、長輩、老師、社區、媒體、整個教育系統，有沒有給過他一種薰陶，一種教訓，告訴他：沒有品格，權力可能就是災難？

培養了他的政黨，在臺灣民主進程上曾經做過偉大貢獻的這個黨，有沒有認識到，人民當初是因為對這個政黨的品格有所信任才將權力交給了它，而將來人民還迫切地需要它，重建清新的品格力量，去監督和對抗下一輪可能腐敗的新的執政者？

今天拚命為他辯護的人，是為了甚麼而為他辯護？品格和道德，在民主政治裏，究竟還算不算數？今天反對他的人，又是為了甚麼而反對？是真正原則的堅持，還是黨派權力的便宜計算？

如果我們的家庭、學校、社會、政黨，從來就不曾把品格和教養看做教育的關鍵內容，如果我們的政府，從來就沒把公民素養看做國家的教育大計，如果有了民主制度，但是制度裏的人民本身是一個對於品格根本不在乎的群體，那麼選出一個無能、無識又嚴重缺乏恥感的總統，我們為甚麼驚異呢？

任何一個政治人物，都是社會的整體文明與教養的產物。檢討他、批判他的同時，這個社會本身的公民教育和品格培養，恐怕更值得我們深深、深深地思索。

## 一點也不差

所以，罷免通過不通過，哪裏是真正的意義所在呢？罷免的真正歷史意義其實在於，透過罷免的提出，臺灣人民用無比清晰的聲音做出宣示：民主不是民粹，自由不是放任，容忍不是拋棄原則，人民長大，不代表不需要典範。透過罷免的提出，人民在考驗自己對大是大非有多少堅持，對社會進步的力量有多少信心，對不該忍受的行為他如何決斷，對值得奮鬥的目標他如何執着。

一課一課地上，一關一關地過；一路走來，臺灣人，你一點也不差。

二零零六年六月二十七日同步刊出於台北《中國時報》及香港《明報》

請｜用｜文｜明｜來｜說｜服｜我

# 輯二：

# 你是否看見歷史中的「人」？

請｜用｜文｜明｜來｜說｜服｜我

# 李鵬來到魏瑪

一九九四年的夏天，李鵬到了美麗的德東小鎮魏瑪。他才躲開了柏林的布蘭登堡，因為那兒圍聚的示威者太多，太令人難堪。魏瑪則是個文化古城，歌德和席勒的城市，也是十八世紀人文思想最發達，政治最自由，文化最燦爛的小王國。接待李鵬的儀式顯然是故意設在歌德故居裏。「魏瑪古典基金會」主席的歡迎辭是這樣的：「……這棟房子見證一個與德國傳統最密切的價值觀，那就是個人的自由與他不可侵犯的尊嚴。」

李鵬倒也沒呆坐着聽訓，他打斷了致辭者的話，說他「讀過歌德的作品」，他只是來看看歌德的故居而已，然後匆匆離開。

到了外面他卻又不得不看見在廣場上與警察拉扯喊着「李鵬殺人」的激動的德國群眾。李鵬應該清楚為甚麼東德人對他特別憎惡；北京的屠殺和東德的百萬人上街發生在同時，然而天安門廣場和亞歷山大廣場的命運卻如此不同，東德人對天安門的亡魂心有戚戚，不奇怪。

在這樣一個對李鵬而言不堪回首的短劇裏，我看見一個超越時空，橫跨國界的問題。高聲喊叫「李鵬滾出去」的魏瑪人所引作行為依據的，固然是西方的人權傳統，其實也是中國知識分子所強調的抗議精神。「故勢者，帝王之權也；理者，聖人之權也。帝王無聖人之理則其權有時而屈……以莫大之權，無僭竊之禁，此儒者之所不辭，而敢於任斯道之南面也。」魏瑪人與李鵬的對峙，無非是「理」與「勢」的抗爭。但是魏瑪人畢竟不是被李鵬統治的人，選擇「理」不致帶來殺身之禍。被李鵬統治的中國知識分子面對李鵬和他代表的權力機器，抉擇就困難多了。選擇「理」，意味犧牲自己；選擇「勢」，往往對不起「士」的良知。

但是，還有第三種選擇：靠到「勢」的一邊，同時又佔着「理」，也就是說，為統治者效力，從旁以「潛移默化」的力量影響決策。這第三種選擇的基本邏輯是：合作比對抗更有效。

魏瑪人也曾有他們的統治者。十八世紀德國城邦的統治者沒有中國皇帝的絕對權力，但是知識分子同樣要做「理」和「勢」的抉擇。魏瑪之所以成為一種文明指標，就是因為，在無數大大小小的獨裁王國中，魏瑪突出像一個自由的小島。因為自由，所以文風鼎盛，因為文風鼎盛，所以人才薈聚。當着李鵬的面教訓李鵬的人，挺直了腰桿，理直氣壯，支撐他的是光芒四射的驕傲的魏瑪傳統。

新起的歷史學者卻對驕傲的魏瑪傳統發出質疑。與歌德的名字連在一起，魏瑪早已成為德國的文化象徵，可是，魏瑪真那麼與眾不同，那麼尊重「個人自由與他不可侵犯的尊嚴」嗎？歌德真是自由主義者嗎？歷史學者，譬如美國的 W. Daniel Wilson，舉證歷歷：法國大革命爆發之後，德國各地學生紛紛組成秘密會社，探討國事，城邦侯爵人人自危。身為部長的歌德曾經以政府立場發佈傳單，警告學生不許結社鬧事，並且支持魏瑪國會的決議：參加結社的學生將開除，永不錄用，並且不許任公職。作為王侯的心腹顧問，歌德也曾經警告過教授學者不要批評政府。

這些試圖把魏瑪從神壇上拉下來的歷史學家很可能犯了「以今日之是非昨日之是」的毛病，歌德的價值當然必須放在他的時代背景中去看。但是史家碰觸了一個超過歌德個人的問題：德國知識分子與統治者合作並非始於今日；納粹和共產東德只是過去王權時代的延伸。儘管歷史條件不同，知識分子與統治者合作的「說法」是一樣的：

——潛移默化比直接對抗有效。

——穩定才能發展；對人民而言，自由沒有民生重要。

這就是中外一致，不分古今的所謂第三種選擇：為統治者鞏固勢力，而實際上是「一片冰心在玉壺」，全為了「百姓的最終幸福」。

這種邏輯聽起來也挺有道理，問題在於，「冰心」是看不見的東西，誰「為虎作倀」，誰「身在曹營心在漢家」，實在難以分辨。兩德統一五年了，為這個問題到今天還吵得厲害。最糟的是，那麼多人都站到「勢」那邊去了（不管真假，那邊的日子畢竟好過些），王侯的勢力得以更鞏固，可苦了那些選擇了「理」而潦倒寂寞的固執人。

一九九四年九月八日

# 我是臺灣人，我不悲哀

## ——給李登輝總統的公開信

登輝先生：

想和您談談「生為臺灣人的悲哀」。

雖然在外國生活了許多年，但我生性懶散，到現在還沒有申請過多國身份。進進出出只有那麼一本中華民國的護照，出入境手續照辦，所得稅照繳。也就是說，和您談談國事的公民資格是有的。

您和司馬遼太郎對談的幾個重點，我沒有異議：

「中國共黨把臺灣省歸為中華人民共和國的一個省份，這是奇怪的夢呢！」

「國民黨也是外來的政權呀……」

「……（臺灣）必須是臺灣人的東西！」

# 請尊重我和你的不同

令我不安的，是您濃厚的悲情意識和不自覺的親日情緒。

本省人的悲情意識其來有自。任何涉獵了一點臺灣歷史的人都可以理解「生為臺灣人的悲哀」；一八九五年，臺灣「本島人」相對於殖民者「內地人」成為次等國民，一九四五年之後，臺灣「本省人」相對於「外省人」再度成為次等國民，歷史對臺灣人是相當殘酷的。受壓迫而激起的悲情意識形成一種凝聚力，團結了受苦的人們向強權挑戰，最後形成新的勢力——這樣一個歷史發展，我們在波蘭、捷克、今天的南非和巴勒斯坦，還有臺灣，都親眼目睹了。

當新勢力興起時，悲情意識也就完成了它的歷史任務；團結工會要面臨經濟蕭條的問題、哈維爾總統要處理國家的分裂、阿拉法特得設法保證他自己的警察不成為新的暴力、曼德拉要在種族和諧與經濟穩定之間走鋼索——臺灣？臺灣還在講「生為臺灣人的悲哀」！

老是踩着自己昨日的影子，作為明日追逐的對象，這才是真的悲哀呢！

繼續沉緬於臺灣的悲情意識，您也使我們覺得疏離。當您說「生為臺灣人的悲哀」的時候，明顯的，您指的是歷經過荷蘭、明鄭、清治和日據的臺灣人——那麼我，一九五二年在臺灣出生的、從小被稱為「外省仔」的人，算甚麼呢？我，還有我那四十年前流離來臺的外省父母，是否也屬於您心目中的「臺灣人」？

我們不需要您的認領，但是，您是我們的總統：當您和一個外國人，譬如司馬遼太郎，用「臺灣人」這個詞時，我想我的父母和我都有權利要求您把我們也包括進去。如果您把我們也包括進去，如果在您的自我認識中，您不僅只代表那百分之八十幾的「本省人」，您還代表那百分之十幾的「外省人」，以簡單邏輯推理，您就不會一再強調自己的悲情意識，讓《週刊朝日》以「生為臺灣人悲哀」作為訪問中華民國總統的大標題！

身為一個外省第二代，對不起，我沒有您的悲情意識。我和我父母的痛苦，流離失根的痛苦，是另外一種歷史情緒，和您的悲情意識不一樣，但同樣的真實。一個本省作家，就說葉石濤吧，他可以大談他的悲情感懷；一個外省作家，就說朱西寧吧，他可以呼喊失根之痛。他們可以毫無顧慮地這麼做，因為葉石濤只代表葉石濤、朱西寧只代表朱西寧。

而您，李登輝，卻代表龍應台，代表葉石濤，代表朱西寧，甚至還代表盲眼的莫那能（如果您知道他是誰）；您的自我意識必須比葉石濤和朱西寧來得廣闊，否則，您就只能做同鄉會會長，而不是一個國家的元首。

歷史學家早就指出：受過壓迫的族群經過悲情意識的凝聚而取得新的權力時，往往面臨一個危機，就是悲情意識膨脹所必然帶來的自我中心和排他情緒。我們臺灣人是不是有足夠的智慧避免這個危機？

去年，在美國一個會議上，我聽見一位我向來尊重的、為臺灣反對運動作過努力的學者說：

現在臺灣人出頭天了！至於在臺灣的外省人，他可以決定，要跟我們打拚就留下來，不要的話，他可以走！

我驚愕得說不出來。

這好比兩個姊妹在一個家庭中生長，有一天，姊姊突然對我說：你要跟我合作的話可以留下來，不然你可以走。

她有說這話的權利嗎？甚麼時候開始、透過甚麼人的決定，這個家突然變成她的了？

歷史的諷刺往往是黑色的。日本在一八九五年取下臺灣時，也曾經宣告：願者留下，不願者走。

而我們稱日本據臺為佔領，不是嗎？

對我說「你可以走」的這位過去的民主鬥士，是悲情意識膨脹的一個典型，他覺得悲情意識有一種道德的專利。我不知道您同不同意，登輝先生，臺灣的民主有今天小小的成就，固然是「臺灣人」打拚的成果，可是，請告訴我，這個「臺灣人」包不包括雷震和他的《自由中國》的同事們？包不包括被關過的李敖和柏楊和陳映真？雷震、李敖、柏楊、陳映真……不去提其他死在牢獄裏沒沒無名的大陸人，都不屬於您口中所念念不忘的「悲情的臺灣人」，可是他們對臺灣民主發展的或多或少貢獻，有目共睹吧？這些人敢於挑戰強權、顛覆統治神話，大致基於一個對自由的信仰，和您的悲情意識無關。當我們今天誇誇而談臺灣的民主奇蹟時，我們似乎不應該忘記那些為臺灣民主犧牲過的人。更不應該選擇性地忘記某一些人，因為他們不屬於某一個族群或者某一個意識形態。否則，我們就是在重複過去的霸權歷史，製造新的「悲哀的臺灣人」！

我絕對尊重您的悲情意識，但是也請您正視，並且尊重，我的不同。

## 對殖民者道謝？

至於您的親日情緒，我覺得無可厚非，但是，您身邊的人是否會給您適度的警告呢？您給日本人特別多接近您的機會，您喜歡和他們用日語交談，您津津樂道自己在二十二歲之前是日本國民，您習慣地透過日文去接受思想訊息……您與日本文化的關係，非常像我們這一代人和美國的關係。我走在美國的街上，說他們的語言、清楚他們的歷史、瞭解他們的思維方式、習慣用英文去接受新的思潮……。當我在「第三世界」，譬如土耳其或者巴勒斯坦，碰見一個美國人時，那種知己知彼的親切感簡直就像見到了故鄉人一樣。可是這種親切感，李先生，不是天生自然的；您身為一個知識分子，不可不看見它背後的顛覆性質。

為甚麼您所熟悉的是日語而不是印度語？為甚麼我所熟悉的是英語而不是埃及語或剛果語？因為日本和英美是擁有強權的帝國，帝國為了推展自己的軍事和商業利益而入主他國，是為殖民。帝國用武力統治一個地方，那個力量是明顯的；不明顯的，是帝國以自己的文化力量滲透到殖民地的文化中去，從而改變對方的性格，如果不能改變，至少該弱勢文化會是一個對帝國親善靠攏而安全的系統。

在您和我的身上都可以看到十九世紀以來帝國主義文化侵略力量的餘緒。美國對臺灣影響之深，不必我說。到現在，我們電視臺的國際新聞播報採取的仍像是美國第五十一州的角度。但是，知識界的自我反省比以前要多，不斷地有人談到文化自主的問題。巴勒斯坦裔的美國學者薩意德的學術論著執意要揭露歐美文化如何腐蝕其他文化的現象，對中國和臺灣的知識分子都起了影響。

您對日本語言和文化的一往情深，因此使我不安。在司馬遼太郎的訪問中，您對四十年的國民黨高壓統治批評頗多（沒有一件是不對的），可是，在談「悲哀的臺灣人」時卻對五十年日本殖民統治不置一言。您說在一九四五年後的國民黨的統治下，人們晚上連覺都睡不安穩——那麼四五年前呢？我也知道，在思想箝制上，當年的國民黨要比日本殖民政府蠻橫得多，可是您畢竟是在和一個日本人對話，與《週刊朝日》廣大的日本讀者在溝通，您不覺得您有義務提供一個平衡的歷史觀——在批判老國民黨的同時，提醒前殖民者：日本人是「臺灣的悲哀」的一個部份？

您對日本的殖民歷史一字不提，反而強調日本文化的優越：

「內人受過日本教育，善於記家計薄，所以我可以安心的工作。」

您的說法招來日本編輯的反應：

「是否日本的教育管用？」

編輯的問話，其實等於在問：殖民對你們被殖民者終究是有好處的？

您的回答：「殖民地時代日本人所留下的東西很多。在批評的同時，如果不用科學觀點來評價就無法瞭解歷史。」

對您的回答我的看法是這樣的：

第一，在訪談中，我並不曾看到您對日本殖民有一個字的批評。

第二，您是否也能用「科學觀點」去評價老國民黨的歷史？如果不能，這個雙重的評價標準是否值得檢視？

第三，避免主觀情緒，以「科學觀點」評價歷史，我完全贊同，這也正巧是我自己近年內在寫作中一直強調的所謂對歷史的誠實。史學家在批判日本殖民的同時，必須也顧及殖民的多面性格。可是您不是專欄作家也不是歷史學者，您是以臺灣人總統的身份與日本人說話，您的考慮必須比我們要多一層：除了單純的對歷史回顧的誠實之外，李先生，您還擔有前瞻性的政治責任。一個被殖民國的總統，在獲得自由之後，對殖民國說：感謝你教了我很多東西。

波蘭的華勒沙和捷克的哈維爾，會對俄羅斯人這麼說嗎？印度的甘地和新加坡的李光耀，會對英國人這麼說嗎？

身為臺灣公民，我特別覺得難堪。

## 對強勢文化不能沒有的警惕

司馬遼太郎問您有空時讀些甚麼書？您回說，岩波書店的社會科學叢書，您透過日文書籍來檢驗自己。

我慶幸我們有一個還能抽空讀書的總統，慶幸我們有一個懂得外語的總統。外語是一扇打開的窗，使他能看見窗外的世界。可是語言受制於文化，每一扇語言的窗，所能提供的都是那個文化所特有的角度和視野，因此我們說有美國人的世界觀、日本人、德國人的世界觀、阿拉伯回教徒的世界觀……。同一個事件，我透過英文和德文的描述會得到相當不同的詮釋，也因此，當接受英文或德文資訊時，我無時不在警惕自己：我越過這兩扇窗子在看事情，但這兩扇窗子都是「別人」訂作的尺寸和角度，必須有幾分存疑；不存疑，就失去了獨立判斷的可能。

您對您所倚重的日文窗子是否也有某個程度的戒慎恐懼？

## 不自覺的帝王遺緒

您最近還說，希望有生之年「將政權交出去」；老實說，我嚇了一跳。這樣的話，美國的柯林頓和德國的柯爾都不敢說的，因為政權交不交出，交給張三或李四，死前交或死後交，根本由不得他們，那是選民的事情。您說出這樣的話來，真證明瞭司馬遼太郎說的，臺灣的民主還在嬰兒時期。

我覺得沒有必要苛責您——如果不是包圍着您的人和擁護您的百姓讓您覺得政權交不交操之在您，我想您也不會有那樣不自覺的帝王遺緒。有甚麼樣的人民就有甚麼樣的總統，臺灣的政治體質如此，光批評您個人是見樹不見林的。

您有一個夢，我也有一個夢。我夢見有一天，臺灣有個總統，他的名字怎麼寫老百姓都會搞錯，因為在一個百輪運轉的健全民主制度中，沒有「摩西」〔1〕的必要。在目前這個時刻，我只希望您能及早擴開您的胸襟，跨出大步離開悲情意識的暗影，做一個大格局的政治人物。

對您的期望高，所以難免苛求。我們互勉吧，為我們的夢。

**龍應台**

原載於一九九四年五月二十六日《中國時報》

**註：**

〔1〕李登輝當選總統後曾自稱「摩西」，要帶領臺灣走出困境。

# 請問，你是否看見歷史裏的「人」？

## ——對李登輝史觀的質疑

李登輝在一九九九年一月接受了日本作家深田佑介的專訪（一月三十一日，《自由時報》），專訪全文刊在文藝春秋社出版的政論月刊《諸君》二月號。李登輝是日本媒體的寵兒，談話廣受日本讀者注意。而身為中華民國的總統，他的言論不可避免地被視為代表臺灣人民的聲音。深田佑介說，有些日本評論家稱李登輝為「哲人政治家」，對他推崇備至。不論是「哲人」還是「政治家」，前瞻的能力是一個必要條件，而前瞻的能力植根於對歷史的深刻的認識。李登輝在訪談中提出的史觀，既涉及中國人的過去，也論及臺灣人的未來。臺灣正處在一個摸索着尋找自我的歷史關鍵——與中國大陸、與日本的關係如何界定，對於重新翻出的歷史如何做出價值判斷，做出的判斷又將如何影響自己未來的定位和格局，都是茲事體大的考慮。以李登輝的政治強勢，他個人的想法很可能就把一個社會推向某一個特定的方向，儘管那個方向不見得是正確的方向。對他的史觀提出質疑，我認為，是一個公民不得不盡的義務。

深田：去年十一月江澤民訪問日本時，猛烈地抨擊過去日本對中國的侵略，有關日本的「過去」，並且要日本「認識歷史」，在所到之處一共說了十一次，反而造成日本人的反感，我認為現在正是加強日臺友好關係的最佳機會，因此特別來傾聽總統的看法。

李總統：五十年前的舊事沒有必要反覆重提。我倒覺得在認識歷史上，江澤民比日本更有問題。為甚麼呢？日本在戰後五十年間遵守和平憲法建設民主國家，很努力地向亞洲擴散和平民主主義，對這點不加以正視而不斷地反覆提舊事，絕非正確的歷史認識。

……外面說是因為江澤民小時候親戚被日軍殺害，而且他被強迫學習日語，身為國家領導人，以個人的恩怨和經歷對日本的過去加以斷罪，是很危險的。如果要說「過去」，五十年前和五百年前都是一樣的……

……臺灣本來有原住民，然後有為了追求自由而由中國大陸來的，就是我們這些臺灣人，我們的祖先在四百年前因逃避明朝的暴政而來到臺灣，現在我們所稱「外省人」，也是在五十年前因逃避共產黨而到臺灣的。最重要的是到臺灣的這些人不是來臺灣做統治者，而是要一直有建設新國家的精神，來建築我們的社會，追求自由和民主……

## 舊事不必重提？

江澤民要求日本為戰爭侵略向中國人民道歉，李登輝把這個舉動稱為江澤民的「個人恩怨」。日本的侵略造成三千多萬個中國老百姓的死亡，在那三千多萬個死者身後還有數目更大的妻離子散、家破人亡。這樣深沉巨大、史無前例的人類災難被輕蔑地貶為「個人恩怨」，實在令人駭異。以色列總理要求德國人道歉，或者波蘭總統要求蘇聯人道歉，我們都體認到：在每一個「要求」背後有多少慘痛的犧牲得不到彌補和安慰。對這樣的慘痛，我們只能垂首肅穆。李登輝是個學識廣博的人，他會以如此輕浮的態度來看待中日歷史，不會是由於缺乏知識，而有更深沉的歷史因素。

至於「五十年前的舊事沒有必要反覆重提」，這所謂「沒有必要」，究竟是因為「舊事」已經經過徹底的爬梳整理，歷史的責任與是非已經交代清楚，還是因為舊事重提可能傷害到眼前的政治權宜？為甚麼「沒有必要」？

非常湊巧，二月份西方世界最引人注目的重大新聞之一正是五十年前的舊事重提：德國財團企業界開始對二次大戰中強徵的奴工進行賠償。從五零年代以來，德國政府已經對受過納粹迫害的個人付出了大約七百億美元的賠償金，但是德國企業，當年獲利於強徵奴工的勞力，卻儼然置身事外。近一千萬名來自各國的奴工曾經在極不人道的情況下為德國的武器工廠、機械和汽車工廠夜以繼日地免費勞動，這些人絕大多數來自東歐國家，戰後又受到東西冷戰的懲罰，得不到任何補償。五十年過去了，奴工雕零殆盡，為他們爭取權益的律師和人權組織終於有了突破。

去年夏天，德國大眾汽車公司（VW）在二十多個國家刊登全版廣告，通知當年的奴工前來申請賠償；大眾公司設立了一個兩千萬馬克的賠償基金準備發放。一方面想免於訴訟，一方面想對歷史的債做最後的結算，德國政府集結了當年曾剝削過奴工的各大企業，籌足大約二十億美元作為賠償金，預備在九九年九月一日正式執行賠償。所有的行政環節都以最速件打通處理，因為倖存的奴工皆已老邁，去日無多；訂在九月一日則因為在六十年前的九月一日，德軍侵入波蘭，掀起了二次大戰。選擇這樣的日子進行賠償，德國人再度向受侵略的民族表示他們的道歉和對歷史的擔當。

在歐洲，顯然不管是侵略者還是被害者都認為「舊事重提」不但必要，而且迫切地必要。侵略者歷史的罪責與是非不僅只是抽象空洞的哲學概念，它可以落實到有血有肉的個人身上。侵略者不但要對受害人道歉，還要對他做實質的補償；不但要做實質的補償，還要趕在受害人有生之年完成補償。舊事的重提，歷史的清理，必要，而且迫切。正義如果有任何意義，就得趕在這一整代人含冤死亡之前得到實現。所以五十年前和五百年前是不一樣的：五十年前造成的傷害，人們還有道歉和彌補的機會，歷史仍是活生生跳動着的此刻，良心逼着你正視它。

## 花岡事件

歐洲的奴工重新發出聲音不能不讓人想起花岡事件。

大戰爆發，日本的企業馬上感覺到人力資源的嚴重缺乏，於是與日本軍部取得默契：軍部從佔領國家強徵奴工交予企業，企業以金錢回饋。日本從中國運來大約四萬多名奴工——多數是在東北擄來的俘虜和莊稼農民。在花岡的中國奴工為DOWA礦業公司下的鹿島組做最艱辛危險的地下採礦粗工。借用荷蘭歷史學者Ian Buruma的敍述：

> 中國奴工們即使在嚴寒飄雪的季節，仍舊穿着一襲單衣，在地下的礦坑中挖掘堅硬的石塊，或是站在水深及腰、幾將冰凍的河溝中疏浚污泥；而他們每天所賴以維生的，僅是一顆即將腐爛的蘋果當作中飯，以及一碗稀飯當晚餐。
>
> 一九四五年七月三十日，大約八百名中國奴工因為不堪虐待，集體逃亡，藏身在附近的山區。日本警方號召居民出來獵捕奴工；日本居民遂個個手持刀棍，圍捕奴工。

這些瘦骨嶙峋的奴工，本來就營養不良，再加上對當地環境不熟悉，絕大部份都在很短時間內被追捕回來。他們陸續被押到小鎮廣場上，一一強迫脫去了僅存內褲的襤褸衣衫，五花大綁地將雙手捆於背後……他們在如此又餓又渴的情形之下，在現場罰坐了三天三夜，當場就有五十餘人暈死過去；他們無糧無水，聽說有不少的犯人相互飲用彼此的尿水維生，真是駭人聽聞、最為殘酷的暴行。

悠悠五十年，這些中國奴工得到甚麼樣的補償？

一九四五年九月，倖存的花岡奴工被當地的秋田郡地方法院以危害地方治安的罪名判以「無期徒刑」，終身監禁。後來被盟軍解放。

一九四八年，鹿島組的八名主管受軍事審判，坐了八年監牢之後釋放。其中之一叫岸信介，做了日本首相。鹿島組一轉身變成鹿島建設，日本首屈一指的重工業財團，戰後在中國大量承包工程，成為中國市場的大投資家。

一九七二年，周恩來與日本簽訂中日和約，放棄所有對日本索賠權利。

中國的奴工——當然還有韓國的、澳洲、美國、英國的戰俘奴工，在東方的歷史洪流裏，人，像蟲子一樣被沖進遺忘的黑暗中，轉瞬不見蹤影，連喊叫的聲音都發不出。他們只能在風燭殘年的破碎的夢裏看見：有一天，鹿島建設在世界各國刊登全版廣告，請當年的奴工前來索取賠償，日期選在七月七日，因為在六十二年前的這一天，日本士兵的皮靴與刺刀跨上了盧溝橋。

這一天還很遙遠；由於許多極其複雜的文化以及政治因素，日本人對歷史的認識還沒有走到這一步，他們還需要時間。白髮蒼蒼的慰安婦現在四處奔走，就是為了在死前能見到正義的實現，但是在日本人有一天終於有能力面對歷史的時候，那千百萬的受害者已經化為無聲無息的塵土。

舊事怎麼能不反覆重提呢？就是日本境內也有不少諤諤之士，譬如大江健三郎就在一九九零年法蘭克福書展上猛烈抨擊過日本對歷史罪責的自欺心態，稱日本人為最缺乏反省能力的「種族主義者」。江澤民訪日，身上背負着最沉重的債券，怎麼還也還不完的人性債券；李登輝有甚麼權利、甚麼立場，說，「舊事沒有必要反覆重提」？

如果人性價值也必須劃分疆界，中國人的死難都只是他江澤民的事，與李登輝毫不相干；好的，那麼，從一九三七年到一九四五年總共有二十萬七千多個臺灣青年被徵調投入戰爭。其中將近六萬人或戰死、或失蹤，為日本天皇做了炮灰。還有那受了皇民思想號召而肆行屠殺，戰後被當作國際戰犯而處死刑的二十六人，處十年以上徒刑的一百四十七人。這些臺灣人的犧牲——日本表示過歉意嗎？對臺灣的慰安婦，日本表示過歉意嗎？更何況，在今天的所謂「臺灣人」裏，畢竟有百分之十幾二十的外省人在大陸親身面對過日軍的刺刀，李登輝可曾考慮過他們的情感和創傷？誰對他們道過歉？即使吝嗇地只談「臺灣人」，李登輝，身為總統，又哪裏有權利、有立場，去對至今不認錯的日本說，「舊事沒有必要重提」？

## 臺灣人的面對歷史

我不認為李登輝有失立場的談話是他有意取悅於日本媒體。他曾經公開批評過李光耀所鼓吹的「亞洲價值」而強調他信仰普遍的自由和人權。但是他對中國共產黨政權的憎惡、他對日本的源遠流長的好感，以及海峽兩岸的緊張對峙關係，扭曲了他對普遍人權的判斷。

李登輝說江澤民比日本人「更有問題」。是的，江澤民代表的是一個對自己人民開槍的政權，這個政權統治中國五十年，手上所沾中國人的血可能比日本人還要濃腥。但是，甲殺了人，不能說因為「乙也殺了人」或「乙殺了更多的人」而使甲的罪行得到豁免。這個邏輯是荒唐的。中國共產黨有一天也必得站上歷史的審判臺接受審判，但是共產黨再不義也不能拿來為日本的不義作辯護。

李登輝說，日本「在戰後五十年間遵守和平憲法建設民主國家」，因此「過去」不必再談。這個邏輯也是奇怪的。就被害者而言，日本今天貧或富，獨裁或民主，對已經造成的傷害有甚麼影響？就日本人自己而言，正因為日本是一個民主國家，它更有理由誠實而勇敢地面對陰暗的過去。戰後的德國難道不是一個「遵守和平憲法的民主國家」，為甚麼在那裏，「過去」的討論和整理如此重要？

對日本的好感是李登輝這一整代人的歷史情愫。以中國民族主義為出發點的人很容易對這種情愫義正辭嚴地口誅筆伐，而這樣單向思維的批判很可能是錯置的。就如同在今天的香港有許多人對英國殖民所帶來的體制和文化認同超過對自己民族——中國——的認同，李登輝這一代人對日本的認同也有它的「正當性」，必須放在時代的背景中去理解和尊重。問題的癥結在於：認同日本的甚麼？大江健三郎、東史郎、家永三郎都是日本人，卻對日本政府和主流社會處理歷史的態度絕不苟同。這些人代表了日本文化中最珍貴的良心和勇氣。曾經是日本國民的臺灣人，譬如李登輝，是否在模糊的、浪漫的日本情愫之外，認真地思索過更深刻的問題：

在侵略戰爭的大浩劫中，屬於日本國的臺灣人究竟是純粹的被害者還是身不由己的加害者，或者兩者都是？界線怎麼劃分？如果民族主義的立場被拋棄，那麼他是否通得過「人」的立場的檢驗？對於自己，他是否能在日本人的歷史罪責裏看見自己的角色？對日本的歷史，他又是否能撇開自己的情感糾纏，作客觀的評斷？

這些問題，九零年代以來紛紛在歐洲各國浮出。法國、比利時、荷蘭，長久以來把自己描繪成被德國壓迫的無罪的羔羊同時又是抵抗侵略的勇敢的英雄。歷史學家現在把材料徹底翻出來，讓人們看見：羔羊英雄只是事實的一面，另一面是和侵略者權勢結合、狼狽為奸的懦弱與卑下。

把歷史的石頭翻開，露出長久不經日照的蟲豸，不是為了族群間的政治清算，而是為了更瞭解自己的存在地位。尤其臺灣人正在尋找全新的未來航程，釐清自己的過去是不可或缺的羅盤。

李登輝公開說自己在二十二歲以前是日本國民，被民族主義者視為大逆不道，我認為是後者的立場偏執。但是李登輝對日本主流價值的全盤接受——全盤到罔顧歷史、罔顧正義的程度，我覺得非常可憂。如果他是一般學者，談話代表他個人，也就罷了，偏偏他是中華民國總統，在外代表全部臺灣人說話，而所說的話比日本右翼還要右翼，實在使我這個臺灣國民惴惴不安。

## 不是民族主義，是人權主義

我相信日本的過去是必須深掘、必須探究、不可遺忘的，而這個立場，不是因為我是中國人臺灣人，屬於被侵略被殖民的族群，因此尋求報復、洩憤。有這個立場，是因為，作為一個人類的一分子，希冀看見和平的實現，而二十世紀兩次大戰給了我們一個極重要的教訓：如果歷史的是非曲直、怨怒疑忌不經過梳理就被草草掩蓋，它就變成一個數着秒鐘的定時炸彈，踢踢踏踏走向爆發。沒有對歷史的共識就沒有和平的基礎，而共識的達成唯有透過對「過去」的鍥而不捨的深掘與追究。最有責任研究日本過去的應該是日本本身的器識宏大的知識分子，就如同對文革史絕不放鬆的應該是中國本身的知識先進，因為最深的批判來自最深的關切。令人憂心的是，中國與日本讓眼前的政治權宜將歷史的傷口暫時遮住，但是傷口在暗地裏潰爛惡化，有一天，傷者，或那自視受到不公待遇的，又以復仇者的猙獰面目再起。這樣的惡性循環，難道是日本人、中國人、臺灣人所樂於見到的嗎？為了避免這樣可怕的前景而要求德國或日本切實地面對歷史，不是「哪國人」的立場，是「人」的立場。

要求日本道歉，因此不是一個狹隘的民族主義的問題，而是一個普遍的歷史罪責的問題。江澤民本人是否有這樣的認識，很值得懷疑。毛澤東和周恩來與日本人簽約時，從不曾問過老百姓的意願。但是那死於戰亂的三千萬人、那飽受淩虐的奴工和慰安婦，有權利要求精神與物質的彌補，只因為他們是「人」就足夠的理直氣壯，與民族主義扯不上關係，與人權主義卻大有關係。李登輝對人權價值的尊重我相信是真誠的，但是在他反中共和親日本的架構裏，人權價值卻不自覺地被壓縮得看不見了，三千萬人的犧牲變成「個人恩怨」，未經整理的重大歷史變成「不必再提」的舊事。

不，就是對距離我們極遙遠的盧安達或科索沃或阿富汗的屠殺，我們都不忍，也沒有權利這麼說的。

## 「新臺灣人」來自「舊臺灣人」

深田佑介的問題充滿投機主義的惡味——趁着中國與日本為歷史罪責起矛盾的時候，趕快發展臺日關係！李登輝的回答也果真與他一拍即合。不能不問的是，建築在這樣一個基礎的臺日關係，能為臺灣帶來甚麼利益？機會主義的結合能持久嗎？或者說，以扭曲歷史、蔑視人權為基礎建立起來的政治關係，是我們臺灣人所渴望的嗎？

我不同意。

就如同我不能同意李登輝所描繪的美麗的臺灣人圖像是符合歷史的。在他的描繪下，臺灣人就是一個追求自由民主的族群。哪有這回事呢？李登輝說四百年前來的臺灣人是為了「逃避明朝的暴政」而來到臺灣，但是鄭成功的旗子上不是明明寫着「永明」嗎？「到臺灣的這些人不是來臺灣做統治者」的，李登輝說，但是他怎麼解釋來臺的漢人是如何壓迫原住民的？五十年前的「外省人」是逃避共產黨而來，但是他們來了之後就建立了自由民土嗎？

臺灣人受日本統治五十年，受國民黨高壓控制五十年，現在又受共產黨的武力威脅，在自我意識上就逐漸投射成一個羔羊似的被壓迫者，而羔羊在道德上都是純潔無疵的。這真是一個美麗的自我圖像，但是，我們既然要求別人正視歷史，自己又何能例外。四百年來的臺灣人既是羔羊，也是惡狼，被別人壓迫過，也壓迫過別人。對自由民主的認識絕不是臺灣人的天生麗質，高人一等，而是經過不斷的墮落和奮起才獲得一點淺淺的成就。這點成就我們可以珍惜，但是不必把它誇大成一個一以貫之的臺灣人傳統。

解嚴十二年來，臺灣一步一步在遠離老國民黨時代的中國意識，發展出以自己為主體的臺灣意識。李登輝的史觀標誌着十二年的距離：十二年前，臺灣的「中國人」和大陸人一樣談日本人的「血債」。黃春明的《莎喲娜啦．再見》對死不道歉的日本充滿義憤，是那個時期的經典作品。到了一九九九年，臺灣總統對日本人公開説，要日本人對侵略戰爭道歉是江澤民的「個人恩怨」，日本現在是和平主義的使者，中國反覆對日本提起過去「絕非正確的歷史認識」。這個距離實在是驚人的。

這樣的史觀，就是李登輝所鼓吹的所謂「新臺灣人」的史觀嗎？我看見其中蘊藏着非常大的危險。我想我們之所以反對中共政權，是因為這個政權與我們所信仰的人權價值有嚴重抵觸；信仰人權價值是因，反對共產政權是果。但是如果說，為了與中共爭取政治資源，為了與中國意識割離以凸顯臺灣意識，而把歷史扭曲，而把人的災難渺小化、兒戲化——因為這些人恰巧是「中國」人；也就是說，反共倒果為因，成了最高指導原則，臺灣人豈不是在一九九九年又退回到意識形態僵化的一九四九年，只是蔣介石版的教條換成了李登輝版的教條？不以人權價值為基礎的臺灣意識值不值得我們追求？我們可不可以讓反中共的目標無限放大，大到使我們對更普遍的恆久價值變得盲目？

「新臺灣人」不是從石頭裏蹦出來的猴子，他必定得從「舊臺灣人」蛻化而來，帶着他所有的歷史，所有的回憶，所有溫存的情感。對這些千絲萬縷的歷史回憶和情感，他必須沉思，梳理，衡量，選擇；每一番沉思梳理，每一個衡量選擇，都一點一點決定了他未來的面貌。「新臺灣人」最後的成熟——不論他屬於哪一個族群，一定是在他給自己的歷史記憶和情感重新找到了安身之處以後，絕不在於把自己的過去粗暴地斬斷。而每一個族群的歷史記憶和情感，在臺灣人重新凝聚的過程中，都是必須受到尊重的。

一九九九年三月一日於法蘭克福

# 當權力在手

我是一個有筆的人。筆，是一種權力，它可以針砭時事，裁判是非，它可以混淆誘引，定奪譭譽。

作為政務官的三年三個月三天期間，我封筆不作，停止評論。不是因為行程太忙，而是對權力另有思索。〔1〕

開始整頓二二八紀念館的管理制度時，像打翻了一個蜂窩一樣，攻詰與批鬥撲天蓋地而來，語言激烈，聲勢兇猛，社論、評論、專欄、投書，在特定的報刊上一篇接着一篇出現，甚至結集出書，充滿了政治的黨同伐異。這種鬥爭的語言使我想起當年《野火集》所引來的國民黨報刊的集中圍剿，唯一的差異是，當年被國民黨指控為「獨派」，現在則被另一群人指控為「統派」。

我不作聲，悶頭做事。但是當「龍應台是文化希特勒」這樣的大字標題出現時，我開始問自己：這是不是已經超過了文明社會應容忍的底綫？龍應台，你是不是應該把筆從「鞘」中拿出，把是非說個清楚？

精疲力盡回到官舍，總是午夜時分；打開電視，又是唇槍舌戰煙硝滾滾，媒體記者臧否政治人物，學者專家論斷行政官員，行政官員反駁民意代表，民意代表品評天下事物，每一個人都在恣意行使他的權力。

關掉。

這樣張牙舞爪的權力，使我不安。

## 權力可生可死

每一種權力都有它本來的目的。政務官負責政策的擘劃，事務官負責政策的執行，民意代表負責審查，媒體記者負責監督，知識分子用知識和筆作時代的眼光。這五種人手裏都掌握了一個東西，叫做權力，但是每一種權力作用不一。〔2〕

政務官的權力在於理念的實踐，他意念中想做的事情，因為手中擁有權杖，全部都可以變成現實。在這個意義上，總統和縣市長都是政務官。他說，河邊應該有一個音樂廳，河邊就有一個音樂廳；他說，古蹟應該全面保存，古蹟就被全面保存。反之亦然，他說，鎖國開始，國家的大門就啞然關閉；他說，打倒「偶像」，「偶像」就在煙塵中轟然倒下。

這種「點石成金」的權力是任何建樹的必要條件，但同時蘊藏着破壞和毀滅的能量。海珊把國家帶到滅亡的深淵，布希把國家拓展成武裝的世界警長，都是這種權力的行使，它可載可覆，可生可死。

事務官的權力在於執法，政策和法規透過事務官的實際操作才發生效力。手中握着法規，他決定發不發給建築執照，通不通過環境評估；他起草的公文、蓋下的印章，決定他所服務的社會做不做得到「老有所終，壯有所用，幼有所長，鰥寡孤獨廢疾者皆有所養」。他是否聰慧，能活潑解釋死板的條文？他是否具執行力，能貫徹政策的初衷？要窺探一個國家文明的程度，先去測量這個國家事務官聰慧和執行力的程度。

事務官手中的權力行使適當，國家機器運轉順暢，就是國泰民安。事務官濫用權力，就成為荼毒生靈的惡吏。司馬遷以不世之大才，被「吏」的「威約之勢」踐踏折磨，以至於讀書人「見獄吏則頭槍地，視徒隸則心惕息」。「吏」治清明與否，其實是國家禍福的指標。

民意代表的權力，透過預算以及法案的審查，體現在對於官吏施政的監督。預算編列符合不符合國家發展的需要，預算執行符合不符合預算的編列，法案的精神符合不符合現實，含不含配套措施，有沒有遠見，都是民意代表可以而且必須定奪的地方。他的權力不在於空談國是，漫天批判，而鎖在一個非常明確的焦點領域：檢驗政務官提出的施政藍圖，秋毫明察，錙銖必較。民意代表是政策品質的把關者。

民意代表如果失職，推出的法規制度可以禍國殃民，通過的施政預算可以勞民傷財；民意代表如果濫權，官商可以需索無度，國事可以空轉虛耗。民意代表的權力若是使用在刀口上，那麼政務官不敢無識，事務官不敢無能，法規不容偏頗，施政不許懈怠。這樣的權力是為智者設計的。

如果民意代表的監督權力限制在一個小而關鍵的焦點——預算和法案，那麼媒體的權力領域就大多了，它可以「空談國事，漫天批判」，只要有事實的根據。一個取得了人民信任的媒體權力可以大到左右國家前途，形塑社會價值，決定元首的去留，它更可以輕而易舉地成就一個英雄或者毀掉一個偶像。這種權力被扭曲、被操縱的時候，就是一個社會的核心價值基礎開始腐蝕的時候。真和假，是與非，崇高或可恥的標準一旦顛倒混淆，幾代人的努力都可能變成虛無，又要從零開始，可是誰不知道：不斷地從零開始是絕不可能累積成文明的。

知識分子依靠知識和見識取得指點江山的權力。知識使他懂得多，見識使他想得深看得遠，下筆如千軍萬馬，人們屏息傾聽。國家有難、局勢有變的時候，他的言論可以是混沌中的明燈，他的行為可以做為人們仰望的典範。在亂世中，他的言行更可以與當權者抗衡較勁，比春秋長短。知識分子手中有筆，筆就是權力。當他的筆無法行使權力的時候，知識分子就得反躬自省：是亂世危邦的客觀環境不許，還是自己的無知無能與墮落？

# 博物館館長可不可以開古董店？

相較於廣大的平民百姓，政務官、事務官、民意代表、媒體記者、知識分子都是掌有權力的人。細究之下，每一種權力都很可怕，它可以興邦，可以覆邦，影響這一代人的此刻，下一代人的未來。掌權的人對自己手中所握有的權力——權力的性質、權力的界限、權力的責任——是否深思過呢？

政務官該不該做事務官的工作？不應該，可是內政部長硬是會帶着大批媒體記者親自挨家挨戶去臨檢居家隔離的人，一件基層事務官該做的事。而當政策執行不力的時候，政務官又要指責是事務官失職。疫病席捲全國，總統、行政院長、部長等等不停地在媒體前，義正辭嚴的，指責各層事務官的處理疏失——口罩遺失、疫情謊報、設備不全、後援不足……，為甚麼不指出，問題的根源在於五十年都沒建立起完善的基礎醫療體系以及科學的管理制度以至於疾病一來潰不成軍，而基礎醫療體系和科學管理制度的建立難道是事務官的權力？政務官幹甚麼去了？

誰有權力，誰就要負責任；誰的權力越大，誰就要負越大的責任。權大責小，造就虛偽怠惰的政務官；責大權小，培養推諉避過的事務官。

民意代表該不該行使媒體的權力——經營媒體，或者在媒體主持政治節目？不可以。問題有兩重，一是球員兼裁判的不公。民意代表也是媒體的監督對象，自己怎麼監督自己呢？一是公器私用的不正。民意代表的俸祿得自人民，所佔的位子是謂公器，自己的工作時間、所蒐集的資料、所得來的訊息、所聘用的人員，所過手的一張紙一枝筆一枚針，都應該百分之百用在預算和法案的審查上。任何一點點一絲絲因為公器而得來的用在與此公器無關的事情上，都是一種公器的私用與濫用。博物館館長不能開古董店，公私分明，利益迴避，是權力行使的前提。

政務官該不該使用知識分子—作家的權力？不應該。一旦「下海」成為政務官，就應該是各方檢驗批評的對象。政務官的舞臺是他的施政，他一切的自我辯護應該都在他的施政措施中不言自明。一面享有施政實踐的權力，被批評時又想同時擁有知識分子的言論利器，豈不等於既是馳騁場上的球員，又要做吹哨子論斷成敗的裁判？施政者掌有知識分子沒有的權力，就是使理念成真；知識分子擁有施政者沒有的權力，就是對現實進行批判。知識分子可以進入官場取得實踐權，施政者也可以在退出官場後行使言論權，但是同時要擁有兩種「以子之矛攻子之盾」的權力，是不誠實的。

民主是責任政治，掌甚麼權力就負甚麼責任。政務官事務官有職責，民意代表、媒體、知識分子有言責，兩者各有所司，彼此制衡，不可混淆。

我的筆，不能出鞘。

# 夜讀古書

因二二八而招來的侮辱和攻擊三年中沒有停過，我不曾寫過一個字回應。在一個失眠的夜晚，讀古書解鬱，一篇文章讓我瞿然而驚，徹夜清醒。[3]

陽子是一個聲望極高的知識分子，被朝廷延攬為諫議大夫。他在朝時和在野時舉止一致，照樣修身養性，謙抑不語，輿論加以讚美。作者卻大不以為然。他說，「所居之時不一，而所蹈之德不同也。」處於不同的位子上，君子的作為必須兩樣。陽子在野時，只對自己負責，可以潔身自好；一旦在朝為官，對天下負責，就應該積極任事。陽子顯然沒有認識到在朝與在野，有權與無權的分際。

對於政務官的去留，作者引用孟子的話，「有官守者，不得其職則去；有言責者，不得其言則去。」負施政責的，無法施政就應該求去；負言論責的，不被採納就應該辭職。陽子在位而不作為，「得其言而不言」，與那些「不得其言而不去」的戀棧者，是一樣的有虧職守。

政務官以實踐理想為己任，不為俸祿而出仕；為了俸祿就應該作事務官。事務官也必須盡責。「孔子嘗為委吏矣，嘗為乘田矣，亦不敢曠其職，必曰會計當而已矣，必曰牛羊遂而已矣。」孔子當過倉庫管理員、飼養牲畜的小吏，也要把物品數清，牛羊安頓了才能下班。

有人為陽子辯護，說他的靜默是由於不願意以喧嚷君主的缺失來表現自己；他的諍言都是關起門來説的。作者説，關起門來對長官進諷勸而不讓外人知道，是幕僚的本分，幕僚對君主負責，但是諫議大夫不是幕僚，是諫官，諫官對天下負責，他的意見應該讓「四方後代」都聽見。在甚麼位子，負甚麼責任，責任不能錯置。

而作者又站在甚麼立場上對政務官提出這樣的批判呢？「君子居其位則死其官；未得位，則思修其辭以明其道。」掌有施政權力的人，應該為他的責任粉身碎骨，不掌施政權的知識分子另有職責，就是「修其辭以明其道」，把眼光和理念，用筆，説清楚。

午夜的我掩卷嘆息：是甚麼時代的甚麼人，對於權力與責任有這樣深刻的洞見？寫〈爭臣論〉的韓愈，只有三十五歲，距離今天一千兩百年。那是今人所瞧不起的「專制封建」的時代。如果「專制封建」的「仕」和「士」比民主自由時代的政務官和知識分子還要有擔當、有分寸，對權力更嚴謹、更不惑，對責任更進退有據、更有為有守，民主有甚麼值得驕傲的呢？

## 媽媽你腐敗

文化局的活動有很多企業廠商的贊助。有一次一家世界知名的運動鞋廠捐給了我們八千雙跑鞋。合作的過程愉快，熱情的經理説，「局長，帶孩子來買鞋，給您打對折。」十三歲的孩子從德國飛來，我就準備帶他到鞋店去買鞋。他很興奮，因為那是名牌，但是他說，「不過媽媽，你要知道喔，你去買就是腐敗。」

我大吃一驚：「甚麼意思？你在說甚麼？」

孩子慢條斯理地解釋，經理的半價優待來自你和他們的合作，那是政府的行為。由政府行為所衍生出來的優惠，就不應該由你個人來接受，接受了就是公器私用，就是腐敗。

孩子說完就轉身去玩電腦，留下我張口結舌，說不出話來。

孩子說得完全正確，我那麼注重公私分際的人竟然被孩子教訓。但是，這個十三歲的孩子從哪裏得到這樣的概念呢？他怎麼知道公器不能私用而且還會對現實生活中的事情作對錯的價值判斷呢？他的公民教育是怎麼形成的呢？

我追過去問他，他覺得我大驚小怪，不耐煩地瞪我一眼，說，「吉斯是怎麼下臺的？」吉斯是德國PDS黨的主席。因為公務常常飛行所以累積了附贈里程，他就利用這附贈里程去度私人的假期。吉斯因此下臺。

## 當權力在手

三年筆不出「鞘」，是因為我希望謹守民主的遊戲規則。我不安，是因為認識到：權力越大，責任越大，所可能辜負的人，越多。權力大，而又不知謙卑的必要，一不留心，就是一個「以萬物為芻狗」的結局。

二零零三年五月二十日

註：

〔1〕龍應台文化局長任期從一九九九年十一月六日至二零零三年二月十日。

〔2〕在臺灣，政務官指的是總統或直轄市市長政治任命的決策首長，通常是非文官體系出身的專家學者，因其特長或社會地位而被任命。政務官負責決策，並須與總統或市長共進退。事務官則指文官體系內部的公務員，不需為政策負責，只承擔任務執行。在香港，則政務官一辭專指文官體系內的高級官員，亦即臺灣意涵中的高階事務官。臺灣所稱政務官，是香港所稱「問責官員」。

〔3〕一九四五年日本戰敗，國民政府接收臺灣。戰後民生困頓，官民衝突頻起。一九四七年二月二十八日因緝煙而有民婦受傷，演變成全島武裝衝突。事後國民政府強力鎮壓，大事緝捕，多人在混亂中或遭殺害，或流亡海外。二二八事件此後成為禁忌，至八零年代才逐步開始解禁，史料得以公開，受難者得以平反補償。

# 在紫藤廬和星巴克之間

## ——對「國際化」的思索

### 臺灣的內向性

一位居龍頭地位的電子企業家告訴我，一九六八年，他曾經陪同他的美國的企業總裁來臺灣考察，思索是否要把他們第一個亞洲分廠設在臺北。考察結果卻是把分廠設到新加坡去。原因？當時的臺北顯得很閉塞，對國際的情況很生疏，普遍的英語能力也差。換言之，國際化的程度太低。

二零零二年，孤星出版社（Lonely Planet）出版了專門介紹臺灣的英語版旅遊書。作者用功不深，對臺北市的新發展似乎沒甚麼概念，但是整體印象他是有的。臺北，他寫着，是亞洲最難接近的城市之一。意思是說，臺北顯得閉塞，與國際不太接軌，英語能力也差，以至於，國際的旅遊者很難在這個城市裏悠遊自在。

三十五年過去了，臺灣還是一個閉塞、國際化不足的地方？

是的。有經驗的人一眼就可以看出臺灣的內向性。中正機場裏外國旅客非常少。首都的英語街道標示一團混亂。報紙的國際新聞五分鐘就可以讀完，有線電視的新聞報導更像是一種全國集體懲罰：小孩吞下釘子的報導時間十倍於伊索匹亞百萬人餓死的消息，南投的一隻狗吃檳榔的鏡頭比阿根廷的總統大選更重要。八國領袖舉行高峰會議，示威者的裸體大大地刊出，但是示威者究竟為了甚麼理念而示威？不置一詞。一天二十四小時，這個國家的人民被強灌影像，政客的嘴臉、口沫、權力鬥爭的舉手投足，鉅細靡遺地注入，就像記憶晶片植入動物體內一樣。國際間所重視的問題——戰爭、生態、貧窮、飢餓、新思潮的出現、舊秩序的突變、大危機的潛伏等等，在這裏，彷彿都不存在。

不對呀，你辯駁，臺北是很國際化的。星巴克咖啡館的密度居世界第一，二十四小時便利商店佔據每一個街角。最流行的嘻哈音樂和服飾到處可見，好萊塢的電影最早上市。生活的韻律也與國際同步：二月十四日買花過情人節，十月底戴上面具參加「萬聖節」變裝遊行，十一月有人吃火雞過感恩節，十二月市府廣場上萬人空巷載歌載舞慶祝耶誕節，年底，則總統府都出動了，放煙火、開香檳，倒數時，親吻你身邊的人。

陳水扁甚至要求政府公文要有英文版，公務員要考英文，全民學英語，而最後的目標則是：把英語變成正式的官方語言。

誰說臺灣閉塞？

## 變得跟誰一樣？

究竟甚麼叫「國際化」呢？

如果說，「現代化」指的是，在傳統的文化土壤上引進新的耕法——民主制度、科學精神、工業技術等等，從而發展出一種新的共處哲學與生活模式。如果說，「全球化」指的是，隨着科技與經濟的跨越國界，深層的文化體系，始料所未及地，也衝破了國家與民族的傳統界綫。原來沿着那條綫而形成的千年傳統——種種律法、信仰、道德、價值，面對「全球化」，不得不重新尋找定義。「現代化」是很多開發中國家追求的目標；「全球化」是一個正在急速發生的現實，在這個現實中，已開發國家盤算如何利用自己的優勢，開發中國家在趁勢而起的同時暗暗憂慮「自己不見了」的危險。

那麼，「國際化」是甚麼呢？按照字義，就是使自己變得跟「國際」一樣，可是，誰是「國際」呢？變得跟誰一樣呢？把英語變成官方語言，是要把臺灣變成英國美國，還是印度菲律賓？還是香港新加坡？當執政者宣佈要將別國的語言拿來作自己的官方語言時，他對於自己國家的安身立命之所在、之所趨，有沒有認真地思考過呢？

# 牧羊人穿過草原

一九七八年我第一次到歐洲；這是啓蒙運動、工業革命的發源地，先進國家的聚集處，我帶着滿腦子對「現代化」的想像而去。離開機場，車子沿着德法邊境行駛。一路上沒看見預期中的高科技、超現實的都市景觀，卻看見他田野依依，江山如畫。樹林與麥田盡處，就是村落。村落的紅瓦白牆起落有致，襯着教堂尖塔的沉靜。斜陽鐘聲，雞犬相聞。綿延數百里，竟然像中古世紀的圖片。

車子在一條鄉間小路停下。上百隻毛茸茸圓滾滾的羊，像下課的孩子一樣，推着擠着鬧着過路，然後從草原那頭，牧羊人出現了。他一臉鬍子，披着蓑衣，手執長杖，在羊群的簇擁中緩緩走近。夕陽把羊毛染成淡淡粉色，空氣流動着草汁的酸香。

我是震驚的；我以為會到處看見人的「現代」成就的驕傲展現，但是不斷撞見的，卻是貼近泥土的默不作聲的「傳統」。穿過濃綠的草原，這牧羊人緩緩向我走近，就像舊約聖經裏的牧羊人走近一個口渴的旅人。

爾後在歐洲的長期定居，只是不斷見證傳統的生生不息。生老病死的人間禮儀——甚麼時辰唱甚麼歌、用甚麼顏色、送甚麼花，對甚麼人用甚麼遣詞與用句，井井有條。春夏秋冬的生活韻律——暮冬的化妝遊行以驅鬼，初春的彩繪雞蛋以慶生，夏至的廣場歌舞以休憩，耶誕的莊嚴靜思以祈福。千年禮樂，不絕如縷，並不曾因「現代化」而消失或走樣。至於生活環境，不論是羅馬、巴黎還是柏林，為了一堵舊時城牆、一座破敗教堂、一條古樸老街，都可能花大成本，用高科技，不計得失地保存修復，為了保留傳統的氣質氛圍。我漸漸地發現，歐洲並非沒有傳統和現代的衝突和挫敗的經驗，但是他們在衝突中找到了一個平衡。

傳統的「氣質氛圍」，並不是一種膚淺的懷舊情懷。當人的成就像氫氣球一樣向不可知的無限的高空飛展，傳統就是綁着氫氣球的那根粗繩，緊連着土地。它使你仍舊樸實地面對生老病死，它使你仍舊與春花秋月冬雪共同呼吸，使你的腳仍舊踩得到泥土，你的手摸得到樹幹，你的眼睛可以為一首古詩流淚，你的心靈可以和兩千年前的作者對話。

傳統不是懷舊的情緒，傳統是生存的必要。

我發現，自己原來對「現代化」的預期是片面的。先進國家的「現代化」是手段，保護傳統是目的。譬如在環境生態上所做的鉅額投資與研發，其實不過是想重新得回最傳統最單純的「小橋流水人家」罷了。大資本、高科技、研究與發展，最終的目的不是飄向無限，而是回到根本——回到自己的語言、文化，自己的歷史、信仰，自己的泥土。

## 文化的進退失據

於是我看見：越先進的國家，越有能力保護自己的傳統；傳統保護得越好，對自己越有信心。越落後的國家，傳統的流失或支離破碎就越厲害，對自己的定位與前景越是手足無措，進退失據。

臺灣的人民過西洋情人節但不知道Valentine是甚麼；化妝遊行又不清楚Carnival的意義何在；吃火雞大餐不明白要對誰感恩；耶誕狂歡又沒有任何宗教的反思。凡節慶都必定聯繫着宗教或文化歷史的淵源；將別人的節慶拿來過，有如把人家的祖宗牌位接來祭拜，卻不知為何祭拜、祭拜的是何人。節慶的熱鬧可以移植，節慶裏頭所蘊含的意義卻是移植不來的。節慶變成空洞的消費，而自己傳統中隨着季節流轉或感恩或驅鬼或內省或祈福的充滿意義的節慶則又棄之不顧。究竟要如何給生活賦予意義？說得出道理的人少，手足無措的人多。

陳水扁要把英語變成官方語言，更是真正的不知所云。語言難道是一支死的木棍，伸手拿來就可以使？

語言不是木棍，語言是活生生的千年老樹，盤根錯節、深深紮根在文化和歷史的土壤中。移植語言，就是移植文化和歷史，移植價值和信念，兩者不可分。殖民者為了更改被殖民者的價值觀，統治的第一步就是讓被殖民者以殖民者的語言為語言。香港和新加坡就這樣成為英語的社會。嫻熟英語，通曉英語世界的價值觀與運作模式，固然使新加坡和香港這樣的地方容易與國際直接對話，但是他們可能也要付出代價，文化的代價。英語強勢，可能削弱了本土語言文化——譬如漢語或馬來語——的發展，而英語文化的厚度又不足以和紐約或倫敦相提並論，結果可能是兩邊落空，兩種文化土壤都可能因為不夠厚實而無法培養出參天大樹。

本國沒有英語人口，又不曾被英語強權殖民過，為甚麼宣稱要將英語列為官方語言？把英語列為官方語言在文化上意味着甚麼後果？為政者顯然未曾深思。進退失據，莫此為甚。

## 國際化，是知識

不是移值別人的節慶，不是移植別人的語言，那麼「國際化」是甚麼？

它是一種知己知彼。知己，所以要決定甚麼是自己安身立命、生死不渝的價值。知彼，所以有能力用別人聽得懂的語言、看得懂的文字、講得通的邏輯詞彙，去呈現自己的語言、自己的觀點、自己的典章禮樂。它不是把我變得跟別人一樣，而是用別人能理解的方式告訴別人我的不一樣。所以「國際化」是要找到那個「別人能理解的方式」，是手段，不是目的。

找到「別人能理解的方式」需要知識。不知道非洲國家的殖民歷史，會以為「臺灣人的悲哀」是世界上最大的悲哀。不清楚國際對中國市場的反應，會永遠以政治的單一角度去思考中國問題。不瞭解國際的商業運作，會繼續把應該是「經濟前鋒」的臺商當作「叛徒」看待。不瞭解美伊戰爭後的歐美角力，不瞭解聯合國的妥協政治，不瞭解俄羅斯的轉型，不瞭解開放後的中國在國際上的地位，不瞭解全球化給國家主權和民族文化帶來的巨大挑戰……不瞭解國際，又如何奢談找到甚麼對話的語言讓國際瞭解臺灣呢？

越是先進的國家，對於國際的知識就越多。知識的掌握，幾乎等於國力的展示，因為知識，就是權力。知道越多，掌握越多。如果電視是一種文化指標，那麼臺灣目前二十四小時播報國內新聞，把自己放大到撲天蓋地的肚臍眼自我沉溺現象，不只是國家落後的象徵，已經是文化的變態。人們容許電視臺徹底剝奪自己知的權利，保持自己對國際的淡漠無知，而同時又抱怨國際不瞭解臺灣的處境，哀嘆自己是國際孤兒，不是很矛盾嗎？

## 星巴克還是紫藤廬

我喜歡在星巴克買咖啡。不見得因為它的咖啡特別好，而是因為，你還沒進去就熟悉它的一切了。你也許在耶路撒冷，也許在倫敦，在北京，或者香港，突然下起冷雨來，遠遠看見下一個街角閃着熟悉的燈，你就知道在那裏可以點一大杯拿鐵咖啡加一個bagel麵包，雖然這是一個陌生的城市。

「全球化」，就是使你「客舍似家家似寄」。

我更喜歡在紫藤廬喝茶，會朋友。茶香繚繞裏，有人安靜地回憶在這裏聚集過的一代又一代風流人物以及風流人物所創造出來的歷史，有人慷慨激昂地策劃下一個社會改造運動；紫藤花閒閒地開着，它不急，它太清楚這個城市的身世。

臺北市有五十八家星巴克，臺北市只有一個紫藤廬。全世界有六千六百家星巴克，全世界只有一個紫藤廬。

「國際化」不是讓星巴克進來取代紫藤廬；「國際化」是把自己敞開，讓星巴克進來，進來之後，又知道如何使紫藤廬的光澤更溫潤優美，知道如何讓別人認識紫藤廬——「我」——的不一樣。星巴克越多，紫藤廬越重要。

二零零三年六月十日

# 五十年來家國
## ——我看臺灣的「文化精神分裂症」

### 臺灣，怎麼會變成這樣？

〈在紫藤廬和星巴克之間〉（二零零三年六月十三日《中國時報》）一文發表十天之內，我收到近兩百封讀者來信，其中三分之一來自臺灣以外的天涯海角。如果說，二十年前《野火集》的讀者來信是憤怒的，憤怒到想拔劍而起，那麼在〈紫藤〉的讀者來信中，幾乎完全看不見憤怒，多的是沉痛和無奈，無奈到近乎自暴自棄。最讓我心酸的是這一封，來自一個十八歲的青年：

臺灣人有沒有根？
我覺得沒有根
我覺得很想哭

我的夢想起飛……可是一直以來
我活得很辛苦　很辛苦　很辛苦
而且我知道
有更多人比我更辛苦　更加辛苦　更加倍辛苦

一種黯淡的沉重、一種無助的茫然，幾乎滲透在每一封信裏，每一封信裏又都有一個共同的問題：

臺灣，我們的臺灣，怎麼會變成這樣？

二十一世紀初始的三年，我們看見了許多五十年來不曾見過的事情：最斯文的教師走上街頭遊行，最憨直的農民漁民上臺北抗議，最苦幹的工人綁起白布條；這是士農工，而商，啊，商人不上街頭，他們用腳直接出走了，留下一棟一棟的空屋。在生活的挫折下，憤懣激進的人滿載汽油去撞政府大樓求同歸於盡，那膽小怯懦的便爬上高樓，帶着自己稚幼的兒女，一躍而下求一了百了。貧者愈貧，富者愈富，不甘於貧又無力於富的人則鋌而走險，持槍行搶。

五十年不曾見過的更是執政者的清晰面目。戒嚴時代，統治者給我們看的是正氣凜然、威嚴莊重的面目；恐怖的迫害、權力的橫行，都在國家神話的幕後進行，我們看不見。解嚴之後的國民黨——我們畢竟聰明瞭一點——讓我們看見的是一副偽善牧師的嘴臉，嘴裏喊着民主與革新，手上做的卻是金錢與權位的交媾，復仇與奪權的鬥爭。跨進二十一世紀，我們心中又有憧憬；或許前面的人不善待這片土地是因為他們不把這裏當家，於是我們讓一個在鄉下長大的孩子「當家」，讓一個曾經看起來有道德勇氣反抗強權的政黨來執政。然而三年了，我們看見的，竟然仍是金錢與權位的交媾、復仇與奪權的鬥爭，唯一的不同是，從前或莊嚴或偽善的面具悍然卸下，權力的野蠻赤裸裸地攤開在陽光下，在我們的眼睛前，進行。**政治人物面孔的醜陋，我們五十年來第一次如此清晰地看見。**

這三年中，政治淹沒了臺灣。經濟議題變成政治議題——臺商變成臺奸；疾病議題變成政治議題——WHO聯合全世界來「打壓」臺灣；生態議題變成政治議題——核四要用還沒有法源依據的公投來決定。這三年中，沒有政策，只有政治；當重大的「南進政策」提出之後，我們赫然發現，那僅只是為了造成元首出國的一時風光而製造出來的假政策。這三年中，引領國家前進的技術專業領域——不管是金融、經濟、工業、研究發展、文化，甚至學術，全面由意識形態「正確」者接管。這三年中，比從前更多的人相信自己的電話被國家竊聽。這三年中，只要是權力所需，執政者可以推翻民主程序，扭曲法律解釋，或者根本公然違憲。這三年中，只有選舉技巧的無休無止的賣弄，沒有靜水流深、穩紮穩打的執政；只有鞏固政權的措施，沒有鞏固國家的政策；只有權力的操縱，沒有責任的擔當；只有民意的短綫盤算，沒有願景的長程擘畫。這三年的臺灣，我們驚慌萬分地發現：只有眼前，沒有未來。

這三年中，我在公開場合上見到現任總統三次，都是上百、上千個文化人出席的重大場合。每一次他走進來，絕大多數的人都照樣坐着，沒有幾個人起立表示尊敬。他尷尬地走到第一排，尷尬地坐下。

是的，臺灣是怎麼了？元首是國家的象徵，舉國寄望之所在，沒有哪一個文明的國家不為他的元首起立的。他的尊嚴就是我們的尊嚴；他的受辱就是我們的受辱。為甚麼，為甚麼最講究「禮」和「理」的文化人對我們的元首淡漠以待？

應該崇高的不再崇高，應該尊敬的無法尊敬——我悲傷地想着：那受到傷害的是他，還是我們心中曾有的夢？

## 我們這一代

十五歲的我住在高雄茄萣鄉，一間簡陋的，沒有廁所也沒有浴室的公家宿舍。牆壁長滿了壁癌，沒錢粉刷。晚上睡覺時，壁癌像麵粉一樣撲撲剝落，蓋得我一頭一臉。母親坐在地上結漁網，日日夜夜地結網，手上生了厚繭，有時候會流血。流血結網得來的錢，就拿去為我繳學費。每天清晨搭客運車，到臺南女中上學。從茄萣經過灣裏、喜樹、鹽程到臺南，那條路千瘡百孔，雨後的坑可以大到摔一輛腳踏車進去。

今天成為總統的人，當年和我一樣，每天清晨從鄉下，顛簸在坑坑洞洞的鄉路上，到臺南城裏去求學。

我們是在貧窮中長大的一代。他的長輩是困苦的佃農，我的長輩是流離的難民。**我們這一代，站在臺灣濕潤的土地上，承受着上一代人流離困苦的汗水淚水，在默不作聲但是無比深沉的愛中成長。越是貧窮，越是奮發。**

一九六零年代，很多人離開這個島嶼，一去不回頭，政治的壓迫和文化的貧血使他們感覺窒息，選擇棄國。

而我們從懵懂少年轉為心中充滿正義、眼睛見不得黑暗的懷疑者。身邊失蹤的朋友，被逮捕的同學，遭沒收的書籍，國際上的節節挫敗，都促使我們開始思索臺灣的前途，自己的未來。經過勝利路臺南一中的操場，剃着光頭、穿着土黃色制服像士兵一樣的學生在軍訓教官的哨聲中踢着正步，太陽毒烈，塵土撲面。這，就是我們的未來嗎？踢正步的學生中有一個叫陳水扁的，鹹鹹的汗水流進眼睛，心中或許在問一樣的問題。

七零年代，上一代人的胼手胝足有了初步的收穫，經濟起飛了。我們在他們的庇護下上大學，留學；這「奮發」的一代一轉眼變成教授、律師、經理、總編輯、作家、企業家……懵懂的不滿、模糊的思索、蠢動的不安，在八零年代，明朗成尖銳的批判、熱情的號召和積極進取的行動。在一九九九年，我曾經這樣描繪那個年代：

八零年代是「最黑暗也最光明的年代。因為黑暗，所以人們充滿了追求光明的力氣和反抗黑暗的激情，而且在黑白分明的時代，奮鬥的目標多麼明確啊。力氣、激情、目標明確——八零年代是理想主義風起雲湧的時代。只有在得到『光明』之後，在『光明』中面對自我的黑暗，發現那黑暗更深不可測，我們才進入了疑慮不安的九零年代，世紀之末」。

八零年代，是我們這一代人開始養兒育女的時候。用盡力氣改變現狀，一方面因為心中有夢，擺脱過去的壓抑夢想建立一個公平正義、溫柔敦厚的臺灣，一方面因為心中有愛和希望，希望我們天真活潑的下一代在一個公平正義、溫柔敦厚的社會裏長大。

然而九零年代帶給我們的，不是希望，是失望。官商的勾結更加嚴重，復仇，成為政治的核心動力，轉動所有的社會齒輪。族群之間愈撕裂、愈對立、愈聲嘶力竭，政客愈有資本。政治人物從歷史仇恨的把弄中極盡所能地賺取他要的利益。

## 被綁架的人民

獨裁者去了，平庸政客戴上民主的面具，囂張上臺。因為有民主之名，他們做的任何事情都有我們的自動背書，我們的背書使他們理直氣壯。**在九零年代裏，我們已經成了被政客綁架的人民。**

進入嶄新的世紀，三月的鞭炮聲響，幾千年來第一次，在中華文化歷史上有人民的直選。身為臺灣人，我們覺得可以驕傲；臺南鄉下的孩子、南一中踢正步的少年、我們「奮發」的同代，成為領導人，令人欣喜。他的政黨也曾經有過燃燒理想的志士，雄才大略的高人，可以期待。

短短的三年，驕傲，變成焦慮。全民工作福祉指數降到十四年來最低，也就是說，大多數的臺灣人覺得生活愈來愈不幸福。[1] 而同時，電視臺開始播放統獨公投的宣傳片，宣傳以「新聞」的面貌呈現，只說獨立公投是人民權利，不提臺灣特殊的處境，不提國際情勢的詭譎，不提兩岸關係的險惡，不提任何可能的後果。

短短的三年，欣喜，變成沉重。開放後的中國已經成為美日的最大進口國；日本針對亞洲各國所做的投資環境評比中，臺灣是最後一名，比馬來西亞和泰國還要落後。而同時，臺灣政府在製作「漢賊不兩立」的經濟政策，用意識形態牢牢圈住經濟。外交，以哄騙賄賂、黑巷交易的方式進行，不謀遠慮只求近功，結果是讓臺灣人一次又一次地在國際上公開受辱。

短短的三年，期待，變成了幻滅：

我們沒有國際觀。不去深入瞭解國際的複雜思維和運作，政府一心一意只想把我們在國際上的挫折擴大、加強，因為擴大加強了就可以對內製造更多的「同仇敵愾」，「同仇敵愾」最容易轉化為選票。

對攸關生死的兩岸關係，我們沒有策略沒有格局。唯一的策略是擴大加強中國的「妖魔化」；因為中國越是妖魔，越可以在島內製造大量的「同仇敵愾」，「同仇敵愾」，啊，最容易轉化為選票。

我們沒有歷史感。上一代人——不論是你的本省佃農還是我的外省難民——都曾經彎腰灌溉這片土地，都曾經把淚水汗水滴進泥土裏，都曾經用默不作聲但無比深沉的愛將我們養大，但是我們對他們不是清算就是忽視，清算或忽視的標準，就看統治者權力的需要。

我們沒有未來擔當。選票永遠鎖定眼前利益，至於經濟、教育、文化、環境、海洋資源的長程規劃，帶不來立即的選票和權力，就不是施政的重點。下一代將面臨一個甚麼樣萎縮無力的臺灣？讓下一代去承受。

我們沒有理性思考的能力。「賣臺」、「臺奸」的指控成為嗜血的鞭子。「愛不愛臺灣」、「是不是臺灣人」取代了「有沒有能力」、「是不是專業」。**不用腦思考，我們用血思考。文化的法西斯傾向，非但不被唾棄，還被鼓勵；部落式的族群主義，非但不被開導，還被強調。**

我們沒有執政黨。由於是少數政府，權力不穩信心不足，奪權成為念茲在茲的核心思維，國家施政淪為游擊隊式的出草。

我們沒有在野黨。五十年的享有權力使人肥大懶惰，反應遲鈍；失去權力之後也提不出任何新思維新政策，看不出任何新擔當新格局，他們只是看準了被綁架的人民沒有選擇，或許不得不把原來肥大懶惰的地主重新請回來。他們似乎完全不記得，當初為何被人民拋棄。

**是甚麼樣的歷史規則，是甚麼樣的領導，使二十一世紀的臺灣變成一個沒有國際觀，沒有歷史感，沒有未來擔當，沒有理性思維，執政者荒誕、反對者低能的社會？**

我們一同走過五零年代的貧窮與恐怖，六零年代的蒼白與摸索，七零年代的奮發與覺醒，八零年代的努力與追求，九零年代的懷疑與失望，在二十一世紀初始——上一代人漸凋零，下一代人還青澀，我們所面對的，竟然是焦慮、沉重，以及夢想的，徹底幻滅。

這三年的荒誕，絕對不僅只是眼前的執政者所造成的。徹底幻滅是由於我們終於認識到，啊，原來換了領導人是沒有用的，即使是一個所謂臺灣之子，因為權力的窮奢極欲藏在每一個政治動物的血液裏，不管他來自浙江奉化還是臺北芝山還是臺南官田。原來換了政黨是沒有用的，因為政黨奪權時，需要理想主義當柴火燃燒，照亮自己；一旦得權，理想主義只是一堆冷敗的灰燼。原來換了體制是沒有用的，因為選票只不過給了政客權力的正當性，權力的正當性使他們更不知羞恥，而選舉，使極端的短視和極端的庸俗堂而皇之成為正統價值，主導社會。

是因為這難以承受的幻滅，使得濟濟一堂的文化人不願向元首起立致敬嗎？

而我們追求了整整半個世紀的夢想——一個公平正義、溫柔敦厚的臺灣，就在我們的焦慮、沉重、幻滅中從此放棄了嗎？路，怎麼走下去呢？

## 文化的「精神分裂症」

有一年，十歲的孩子從學校回來，興沖沖拿出剛發的新課本給我看。攤開一張地圖，是我們這個不到兩萬人口的德國小鎮。母子兩個用手指在地圖上游走：這是孩子撩起褲腳抓野鱒魚的小溪；這是常去爬的狐狸山，海拔三百公尺；這是離家五公里的池塘，我們曾經在池塘邊撞見過一隻低頭喝水的野鹿。

孩子繼續尋找他熟悉的一草一木，我卻驀然難過起來。十歲的我，我們，可從來沒看過我們的村落地圖。課本上教的是偉大的長江黃河、壯麗的泰山長白山，我們從來沒見過也無從想像的地方。自己游泳釣蝦的河流，躲藏玩耍的山頭，曾經一跤摔進去濕淋淋爬起來的池塘，卻都是沒有名字的；或者說，從來不曾在課本裏、地圖上，看到過自己的腳真正踩過涉過的山頭和溪流。

我們是這樣被教育的：別人的土地，假裝是自己的，自己的土地，假裝它不存在。土地其實就是民族記憶，所以我們腦子裏裝滿了別人的記憶，而自己活生生的記憶，不是自己瞧不起，就是不願面對，也不敢擁抱。

這是強權統治所造成的一種集體文化精神分裂症狀。

當我們終於可以擁抱自己的時候，**我們死命把住自己的土地，把它神聖化，獨尊化，圖騰化，絕對化，要它凌駕一切，要所有的人對它宣誓忠誠，對它低頭膜拜。**我們非常霸道，因為我們不平衡——受了創傷的人不容易平衡。二二八的殺戮，白色恐怖的迫害，講閩南語要處罰的侮辱，統治者文化優越感的盛氣凌人，是我們心靈上一道一道的疤痕。疤痕仍隱隱作痛，使我們自覺有霸道的權利。

同時，我們急切地想把疤痕去掉，徹底去掉，卻發現，那每一道疤痕都已經是自己身體的一部份；要去掉，必須把肉刮掉，刮肉，意味着更大更深的傷口，更多未來的疤痕。

## 「本土化」天經地義

其實每一個民族都有他歷史的創傷和疤痕——中國的文革，日本的長崎廣島，德國的第三帝國。如何從創傷痊癒，得回健康的體魄、平衡的心靈，要看那個民族有多高的生存智慧、多厚的文化底醞。臺灣人的深深長進肉裏的疤痕，是「中國」。面對中國，對岸那個巨大的霸權帝國，還有我們心中肉裏的中國，我們還在受虐受苦。**我們像一個重症的精神病人，緊緊地與自己的影子格鬥、糾纏，想用撕裂自己的方式來解放自己。**

政治人物的可惡與殘忍就在於，他非但不提出痊癒的療法藥方，讓民族心胸擴大，休養生息，他還設法加重糾纏與撕裂，從矛盾和對立的膿瘡中擠出權力。解嚴十六年了，我們的將士仍在迷惘地問，「我們為誰而戰？為何而戰？」投資大陸的企業家很困惑，「我是英雄，還是叛徒？」十八歲的少年仍在痛苦，「我是臺灣人？中國人？我是甚麼，我是誰？」

走過五十年的日本殖民，走過五十年蔣氏國民黨的統治，面對中國共產黨的武力威脅，臺灣人要認同甚麼？臺灣文化的核心精神是甚麼？「中國」這個元素，在我們的認同和文化認知裏，應該放在哪裏？

臺灣必須「本土化」，是我們天經地義的權利。十歲的孩子拿回家給母親看的應該是自己村落的地圖，地圖上的一山一石、一草一木，他都認識。他應該和母親用清晰好聽流利的母語談學校的事情。他應該熟悉臺灣的歷史，不只是先民的開墾史、國家政治史，還有村落史、火車史、河流史、文學史、美術史，他應該熟悉臺灣這個島嶼像他熟悉自己的一隻秘密抽屜。孩子首先要認得自己的腳踩在甚麼土地上；濁水溪先來，長江黃河尼羅河密西西比河，可以等。

可是「本土化」沒有這麼簡單。因為，請問你，「本土」是甚麼？

除了我們以為理所當然的閩南文化之外，第一個進入我們念頭的，是被漢人趕到山裏去的原住民。所以在認識偉大的玉山之前，對不起，那根本就不叫玉山。請你捲起舌頭跟我說，「pa-tton-kan」。這是曹族語。

第二個，是客家人。客家人說，我們說的不是閩南語，所以，請你不要把閩南語稱為「臺灣話」。我們說的也是「臺灣話」。

第三個，是馬祖人。馬祖人為臺灣島的安全與繁榮付出了四十年的痛苦代價，有點激動地說，我根本不是臺灣人，而且說的是你們所有的人都聽不懂的閩北話。說吧，你們把我算甚麼？

第四個，是浙江人、山東人、湖南人、四川人、上海人、雲南人……這些人離開他們的母親時，身高還不如一支步槍的長，五十年的生命付給這個島嶼。他們南腔北調，如今垂垂老矣，他們的孩子，多半已不知「母語」為何物，也從不曾要求有「鄉土教學」。

第五個，是越來越多的新住民，來自越南、泰國、印尼、中國各省。他們與臺灣人結為夫妻，在這裏生兒育女；每一個母親都對她們懷中的嬰兒講自己家鄉的童話，用自己的語言唱熟悉的兒歌。她們正在栽培一種新臺灣人的出現。

蔣氏國民黨所帶來的大陸中原文化沙文主義像一片厚厚的黃沙覆地。本土化是把黃沙吹開，讓深埋土裏各種各樣的小花小草得以透氣，自由舒展。但是本土化絕不是閩南化；我們不能只看見自己身上的傷痕。二二八、白色恐怖固然慘痛，原住民失去大地失去森林的傷，不深嗎？我們償還了嗎？金門馬祖人被歷史凍結的傷，不重嗎？我們彌補了嗎？外省難民流離失所、天涯永隔的傷，不慟嗎？我們又給了甚麼慰藉？本土化是反抗中國文化的沙文主義，但絕不是讓另一個文化沙文主義來取代。

## 中共不等於中國，「本土化」不等於「去中國化」

好，「反抗中國文化的沙文主義」，那麼本土化等不等於「去中國化」？

請先告訴我甚麼叫「去中國化」。

是把歌仔戲中的劇目——陳三五娘、目蓮救母、中山狼、狸貓換太子……全部去掉嗎？是把媽祖信仰——宋朝的林默娘去掉嗎？是把龍山寺裏的朱熹和華陀去掉嗎？是把唐詩宋詞三字經去掉嗎？是把草藥針灸去掉，把太極拳禪宗去掉，把舞龍舞獅去掉，把祭祀、掃墓、春節中秋去掉嗎？是把門楣上的「潁川」、「隴西」刻字去掉嗎？是把「己所不欲，勿施於人」的孔子思想去掉嗎？是把端午節的屈原和白素貞去掉嗎？是把故宮裏的世界珍寶去掉嗎？是把福建來的閩南語去掉嗎？是把漢字書寫去掉嗎？

這些都「去」掉以後，我們還有甚麼呢？

喊「去中國化」口號的人，把重點放錯了地方吧。「反抗中國文化沙文主義」，要「去」的不是「中國文化」，是「沙文主義」。我們反對蔣家政權對臺灣本土文化的壓抑與漠視，我們更無法忍受中共的自我中心大中國思想，但是這兩者都是人的態度使然，而不是文化本身的問題。有人拿起石頭打你，你憤怒的對象是那人，不是那石頭。石頭本身是無辜的，它也可以是房屋棟樑，是堤防建材，是庭園山水，是深山璞玉。就如同對於日本的五十年殖民，我們要批判的是日本文化的沙文主義，不是日本文化。

**我們真正應該呼喊的，不是「去中國化」，是「去沙文化」。**

洗澡水用過髒了，得倒掉，但我們不會把盆裏的嬰兒連髒水一起倒掉。國民黨令我們反感，共產黨使我們厭惡，但是，國民黨加上共產黨並不等於中國。兩個黨不到百年，中國卻有五千年的歷史。你不能把百年的細微泡沫當作五千年的深水大河。給我們帶來巨大威脅的中共，也不等於中國。他只是中國一個暫時的管理員，充其量是將來的史書上一個小號字體的備註。中國，也不等於中國文化。國，只是一個政治組織，像有限公司、株式會社、財團法人一樣，一個管理結構。一個管理結構如何涵蓋或代表一個民族深遠浩大的文化——他的藝術創作、哲學思想，他的神話與信仰、革命與復興、創造與傳承，他靈魂深處的感情與記憶？**黨，不等於國；國，不等於文化；中共，不等於中國；中國，不等於中華人民共和國。嬰兒與髒水不能劃上等號，更不能閉上眼睛一起倒掉。**

中共的蠻橫與霸道激起我們的憤怒與恐懼，這憤怒與恐懼又因我們的政客操弄而加劇，使我們「抓狂」，「去中國化」的低智邏輯於焉而起。我們忘記了：憤怒與恐懼的不只是我們，還有無數的中國人，包括新疆的回民、西藏的藏民、還有那冤屈不得訴、心向不得伸、渴望不得流露、思想不得發表的千千萬萬的中國人，那坐在陰暗的牢房裏無名無姓看着自己牙齒一個一個掉光的中國人。這些人不是我們的壓迫者，他們和我們一樣在掙扎受苦，可能比我們還要辛苦，但是他們是「中國」的一部份。

吳儀和中共官僚對臺灣人說「誰理你們」那副顢頇自大的嘴臉，不是「中國人」的嘴臉，是「霸權者」的嘴臉，他不只用這種野蠻的態度面對臺灣，他用這種嘴臉面對所有的弱勢者，尤其是他自己的人民。共產黨也不是中國文化的必然產物；我們都知道馬克斯是德國人，列寧和史達林是俄羅斯人。對於中國，共產黨是百分之百的「外來政黨」。我們怎麼能夠只看見中國的強權，看不見中國的弱勢；只看見中國的國家機器，看不見那絞在機器裏流血流淚的人；只看見中共，看不見中國；只看見他虛假造作的政治，看不見他深邃綿密的文化與歷史？我們甚麼時候變得如此頭腦簡單了？

## 臺灣是中國文化的暗夜燈塔，中國文化是臺灣的珍貴資產

那深邃綿密的文化與歷史，並不只屬於中國，它也屬於我們。是的，中國文化是臺灣文化的一部份，就比如心臟是人體的一部份一樣。我們不但不應該談「去中國化」——因為去了心臟還有自我嗎——**我們還應該與中國爭文化的主權，應該理直氣壯地對中國、對全世界說，真正的中國文化在臺灣；中國傳統文化再造的唯一可能，在臺灣；漢語文化的現代「文藝復興」最有潛力發生的地方，在臺灣。**

比起香港新加坡，臺灣的漢語文化底醞厚實得多。比起北京上海，臺北更是一顆文化夜明珠，幽幽發光。第一，它不曾經過馬克斯主義的切斷與文革的摧殘，因此和自己的文化傳統沒有巨大的撕裂。連日本人的統治都不曾斷掉臺灣人組織漢文詩社、送孩子上私塾的人文傳統。

隨着蔣介石來臺避秦的知識分子也帶來五四以下一脈相傳的知識氣質。民間的宗教信仰、風俗儀式以相當完整的面貌傳承薪火。第二，經濟的發達、教育的普及使得臺北有了北京上海都還不夠成熟的市民社會。中國的傳統價值在這裏與現代化接軌，忠孝仁恕與公民道德碰撞揉合，產生出華語世界中市民自主意識最高的城市。第三，自由是創造力的必要條件。臺北，不同於新加坡香港、北京上海，它沒有不能出版的書，不能唱的歌，不能展出的畫，不能發表的言論、不能演奏的音樂。它是華語世界中創作最自由的城市。第四，沒有一個華語城市比臺北更豐富多元。原住民之外，中國三十五個省份的人，三十五種不同的文化，加上西藏蒙古，濃縮呈現在一個小島上，像一個色彩鮮艷的調色盤。它是華語地圖上的紐約。

TAIWAN？是的，不必扭捏作態改稱它為「福爾摩沙」；我們可以萬分篤定地說，它是另一種中國；你要看一個更純粹，更細緻，更自由活潑，更文明、更人性的中國文化嗎？你必須到臺灣去，不是北京上海，不是西安杭州。我們要在國際上生存，唯一的辦法是讓世界看見：傳統中國文化在中國也許被專制落後和老大帝國的劣根所困，在臺灣民主自由與現代理性的環境中卻能異樣地煥發燦亮，生命力充沛。這就是「臺灣特色」。為甚麼高行健的作品只能在臺灣出版？為甚麼雲門舞集只能在臺灣發生？**中國文化是臺灣在國際競爭上最珍貴的資產，我們搶奪都來不及，遑論「去」！**

那麼國家認同呢？誰說爭取國家認同必須消滅文化認同？瑞士是個徹底獨立的國家，但它的德語人口並不因為歌德、貝多芬、托馬斯曼是「德國人」而不去擁抱。反而，當德國變成一個醜陋的霸權，小小瑞士就成為德語文化的暗夜燈塔。我們可以反對中共，可以拒絕中國，但是中國文化，或者說漢語文化，對不起，那可不專屬中華人民共和國，它也是我們安身立命之所依。而且，就中華人民共和國對中國文化的破壞紀錄來看，我們可以大聲地說，**臺灣就是今天中國文化的暗夜燈塔。**

過去歷史的傷痕使我們痛，今天中共的壓迫使我們憎，但是所有的傷痕都在我們的心臟上，挖掉自己的心臟是精神病人瘋狂了才做的事。對付異族的入侵，我們或許可以用減法，譬如抗日時高喊「去日本化」；**同文同種的相煎操戈，不可能用簡單的減法，因為一減一等於零。**越是強大的敵人，越是需要深沉的智慧去面對。除了減法外，加法、乘法、除法、複雜的函數，我們不是沒有學過。

如果為了對抗敵人，我們把自己變成一個歇斯底里、全身痙攣的迫害狂或被迫害狂或文化法西斯，除了「中共」兩個放大成夢魘一般的字以外全世界都看不見，這場仗，不打也罷。我們的下一代，已經因為無法忍受這認同的精神分裂、這政治的潰爛不堪，而選擇冷漠，或者出走。中國不必動武，我們已經被自己的瘋狂打敗了。

# 人民素質是夢想的基礎

魏瑪共和在一次大戰後的德國存活了十四年，十四年中換了十七個內閣，多次的政治暗殺。美國史學家分析魏瑪共和敗亡的原因，是「謀殺、痼疾、自殺」的綜合結果。謀殺是國外的強權勢力，痼疾是本身文化中無法應變的慣性思維，自殺，則是當時政黨的惡鬥、政客的操弄、人民理性思考的喪失。魏瑪完了，希特勒上臺，德意志民族的浩劫開始。

我無意將臺灣比魏瑪，但是我看見相似的歷史元素：外力「謀殺」的威脅、本身「痼疾」的無力擺脱，更明顯的是「自殺」的傾向，脖子上纏着權力鬥爭的繩子，毀滅在所不惜，愈纏愈緊。

或許我們都太急了。政客是每天都有的，只要有肉，就會有蒼蠅。政治家，卻不會從天上掉下來。先要有負責任、有見識的公民，才會有負責任、有見識的政治家。一代一代政治家的彼此切磋薰陶，風行草偃，三代之後，才會有心胸開闊、眼光遠大，有智慧有擔當的大政治家的出現。我們現在在哪一個階段呢？兩千三百萬人中有多少負責任、有見識、不被愚弄的公民呢？

幻滅之後，其實又回到根本：人民的素質是所有夢想的基礎。政客不可寄望；公平正義、溫柔敦厚的臺灣，華語世界的夜明珠，我們只能把夢想默默地放在每一個人自己的肩膀上，繼續扛着向前走。

沒有甚麼了不起，文明，本來就在考驗我們面對野蠻的本事。

二零零三年七月三日

**註：**

〔1〕**主計處：工作生活福祉指數創十四年新低**　李佩芬報導二零零三年七月三日

行政院主計處日前公佈去年國民生活指標綜合指數調查，數據顯示：去年國人在工作生活領域的生活福祉衰退，綜合指數為九八點〇六，低於九零年的九九點〇六，更創下自民國七十八年有這項統計以來的新低。主計處表示，這主要是因平均失業週數拉長、每人每月平均薪資降低、每人每月平均工作時數也減少，以及勞資爭議、職業災害等因素影響。以平均失業週數指數來說，九一年為九四點〇八，九零年為九五點九一；就平均薪資指數來看，九一年為九四點二二，九零年為九六點五七；從平均工作時數觀察，九一年為一〇七點六五，九零年為一〇八點二一；而勞資爭議程度，九一年為九六點八五，九零年則為九八點二七，幾乎都可看出九一年較諸九零年衰退的情況。

這項調查，是行政院主計處為衡量國人生活福祉狀況，每年定期彙整全國各統計單位民生資料，區分為健康、環境、安全、經濟安定、家庭生活、工作生活、學習生活、社會參與、文化休閒共九大項目，將之統整為國民生活指標綜合指數，做為各領域國民生活福祉的年度消長衡量依據，並以民國八十五年為基期計算標準。（Career就業情報）

# 面對大海的時候

二零零三年七月十日發表的〈五十年來家國——我看臺灣文化的精神分裂症〉(《中國時報》人間副刊)針對民進黨政府「去中國化」的文化立場提出質疑，在臺灣引發了一場數十年來不曾見過的激烈的文化論辯。在兩個多月的論辯同時，發生了幾個爭議事件：政府文官考試用閩南語出題，引起客家族群抗議；中國歷史在教科書裏被編入「世界史」而非本國史；「中華民國」則從臺灣史中「消失」……

政治與文化在「民主實驗室」臺灣如何痛苦地拉扯，文化的認同在政治的現實叢林中又是否可能找到寬闊的出路，或許也給其他華人社會在面對自己時一個值得沉思的參考。

## 邊境

我在一九七五年飄洋過海到美國，半年之後有機會從美國到加拿大，在密西根的邊界，只要走過一條橋，就是加拿大。站立在橋這頭，望着那一頭，別人輕輕鬆鬆晃過去，我的心裏卻有無限的震撼：怎麼有國界是這樣的？國與國之間不應該都是難以逾越的汪洋大海嗎？出國不就是「出洋」，不就是「飄洋過海」嗎？外國不就是「海外」嗎？

在政治封鎖的臺灣長大，我潛意識中以為所有的國家都是「孤島」。

## 游泳

到了美國，一個美國同學知道我來自臺灣就說：「那你一定很會游泳？海泳？」我楞住了，覺得他問得很奇怪，我不會游泳，而且，不會游泳的人很多；甚至於在南部漁村生活的十年中，很少見到村人在海裏游泳。他為甚麼認為來自臺灣的一定很會「海泳」？

「因為臺灣是個島啊。」他倒覺得我很奇怪。

## 背海的人

後來我到了希臘，到了賽浦路斯，到了馬爾他島，到了菲律賓，從一個島到另一個島，看見很多很多的人在海裏游泳，外國遊客和本地村民的老老少少都有。我也學會了游泳，同時想通了為甚麼四邊是大海的臺灣許多人不太海泳。

在長達三十八年的戒嚴時期裏，臺灣的海岸綫不是海岸綫而是警戒綫。從十四歲到二十三歲我住在一個漁村，晚上睡覺時聽得見一陣一陣海浪撲岸的聲音。當孩子們三五成群到海灘上去撒野的時候，總有荷槍的士兵來驅趕，槍上有亮晶晶的刺刀。晚上，海灘更是禁區，因為「共產黨的蛙人會摸上來」。成人經常在海灘上痛哭，灑紙錢，祭奠死於海難的親人。為了「國家安全」，通訊器材嚴格管制，漁民遇到颱風時無法求救。

在「大門反鎖」的國度裏，天災其實往往是人禍。

成長在大海邊，可是對大海的印象很少是明媚的椰子林、艷麗的珊瑚礁、縱身大浪的舒坦狂放；比較多的是：節制與恐懼。

對大部份的人而言，大海意味着自由，機會，創造，資源，力量，海闊天空的萬種可能。靠海的港都往往萬商雲集，或是縱橫天下。對二十世紀的臺灣人而言，大海，卻象徵着隔絕與孤立，危險和威脅。談到「臺灣海峽」這個詞的時候，立即的聯想不是海闊天空的遨遊——從臺灣海峽到巴士海峽到神秘浩淼的墨西哥海灣，海峽是開啟全世界的一把神奇鑰匙。不，「臺灣海峽」所激起的立即聯想是「兩岸」，以及「兩岸」這個詞所蘊含的巨大的滯礙、艱難、困境。臺灣人不是歌頌大海、面對大海、擁抱大海的人，因為歷史的特殊發展，我們是背對大海、面向島嶼內陸的人。

那是一個很小、很小的「內陸」，但是歷史的制約使人們習慣內陸思維。只有商人，因為利之所趨必須超越界綫，任何人為的界綫，他們不斷地試圖駛向大海。七零年代的零件商人或者二十一世紀的大企業家，都在面對大海，可是備極艱辛，因為他們背後的社會，是內陸思維的。晚至一九八一年，臺灣人才有出國觀光的自由。

高雄有一個世界級的海港，可是到今天市民都不能隨興去港邊冶遊，看遠方日出，看萬國船舶，去張望世界，把大海變成自己生活的院子。

二零零二年我看見金門的許多防風林仍舊用警戒線圍起，警告的牌子上畫着骷髏，寫着「地雷」。馬祖有些海灘上還牢牢插着看起來極其險惡的防止登陸的銳利木樁。

譬如「綠島」兩個字，對任何人都應該是一個美麗的地名，讓人聯想海鷗的雪白、森林的濃綠、地衣的清香。可是臺灣人想到火燒島政治犯，想到柏楊的眼淚，想到壓迫和殘酷。大海，對臺灣人而言，仍是陌生的，不可親的。多年的「鎖國」，使我們習慣性地背向大海往內注視。

如果說，海洋通常可以孕育出一種比較開闊、大氣、對外在世界充滿求知興趣的外向型文化，那麼，歷史所塑成的是，今天的臺灣有海洋，但是並沒有海洋文化。

## 政治解嚴易，觀念解嚴難

任何有一點知識的人走一趟臺灣的海岸綫，都會看得出這個島上的人與大海疏離到甚麼程度。海泳的人稀少不提，海岸毫無節制的開發利用，各種工程淩亂地切割海岸，抽沙填海，工業污染，海岸綫節節後退，國土流失劇烈，這個四邊都是大海的國家，至今沒有宏觀的永續的海岸專法，也沒有保護海岸的專責機構。恐怕世界上找不到另一個海岸綫這麼長的國家對於自己的海岸會輕忽到這個程度。

這種輕忽凸顯的是，政治解嚴容易，心靈解嚴、觀念解嚴不容易。只要臺灣人繼續把海岸與「軍事重地」聯想，只要刺刀的陰影、孤立的不安，危險的暗示，仍然盤據心裏，只要把大海依舊想像成一堵孤島的巨大黑牆，臺灣人就會繼續地遠離大海，背向大海，換句話說，就是用戒嚴時期的心態面對自己、面對世界。在這種內視心態的指導下，譬如說，統獨公投法是否通過會成為全國焦點，而海岸法卻無人問津。可以質問自己的是，如果國土都要流失了，海岸都要不見了，統獨有甚麼意義呢？究竟孰輕孰重呢？

戒嚴鎖國，扭曲了人對大海的認知，疏離了人跟大海的關係，窄化了世界觀。心靈解嚴，意即認識到這種扭曲的存在，重新體認自己的海洋環境本質，建立開闊的海洋文化。大海，原來不是一堵死牆，而是一條活路，意味着自由，機會，創造，資源，力量，海闊天空的萬種可能，可以為我們招來萬商雲集，可以帶我們縱橫天下。大海，是島嶼的無限延伸、家園的流動翅膀。

就如同「綠島」，需要人的努力和時間的洗滌，才能回到它的真實本意。當珊瑚礁、熱帶魚、湛藍的海水印象漸漸加深，而政治迫害的恐怖和殘酷的記憶漸漸淡去，「綠島」就又是一個「綠色的島」了。解除了觀念、心靈的戒嚴，我們才可能重新看見大海本色，才可能把背對大海的內視眼光收回，轉身面向大海，開闊遠眺。

## 文化是大河

眼光一放遠，甚麼都不一樣了。

「綠島」需要解禁，「大海」需要解禁，「中國文化」更需要解禁。

「五十年家國」的主旨是：建立臺灣文化的主體性要用加法，不是減法；要把浩瀚深遠的中國文化吸納進來，為我所用，而不是將它排除。在多篇反對的文章裏，我看見兩個突出的論點，一是，中國文化等於封建、落後、霸權統治，所以應該排除；二是，中國文化等於菁英文化，與臺灣所擁抱的流行文化、大眾文化、鄉土文化不相容。

中國文化等於封建、落後、霸權統治嗎？中國文化只是菁英文化嗎？

或許我們可以參考哲學家卡爾波普對西方文化的說法。他認為，與其說西方文化是由基督教思想構成的，不如說西方文化是由反基督教思想構成的，因為西方文化是一個正反思想不斷矛盾、激盪所形成的過程。它今日的相對開放也是長期的反抗、磨合、激盪和衝擊的結果，不是它所「固有」。中國文化難道不是這樣嗎？中國文化裏，相對於統治文化，有長期的反抗文化；中國歷史只有一半是統治者寫成的，另一半卻是由反抗者、異議者、離心者寫成的。有秦王，就有荊軻；有漢武帝，就有司馬遷；有曹操，就有禰衡孔融；到了近代，有慈禧，就有譚嗣同，有毛澤東，就有儲安平陳寅恪，有蔣介石，就有雷震。中國文化裏，「文死諫，武死戰」的為「諫」而死一直是一種超越統治權力的信念。

更何況，儒家之外有道家，道家之外有佛學，更何況，連儒家思想本身都是一個兩千年來波濤洶湧不斷辯論、不斷推翻的過程。更何況，相對於漢族有無數其他民族，相對於中原有各方的邊緣邊疆，相對於大傳統有種種的小傳統，相對於朝廷有層次複雜的民間，相對於知識菁英有強悍旺盛的鄉土風情、流民習俗、遊俠傳統、娼妓傳奇、庶民文化、流行文化。有聖人孔丘，就有流氓盜跖，莊子更認為盜跖可能比孔丘還「正統」。顛覆傳統的莊子難道不是中國文化嗎？激烈地要打倒傳統的五四運動不也是中國文化嗎？反傳統不是任何傳統的不可分割部份嗎？

文化是大河，吸納無數支流的湧動，河裏有逆流、有漩渦、有靜水流深之處，有驚濤駭浪之時。不歇止的激蕩和衝擊形成一條曲折河道，就是文化。文化不是一塊固體，無法被「一言以蔽之」地描述為封建霸權或者菁英文化。但是為甚麼在今天的臺灣那麼多人看見「中國文化」這四個字就起這樣的聯想和認知呢？

## 供在權力的神桌上

難道不是因為，過去五十年裏，國民黨把「中國文化」的大河，用意識形態僵化成一小塊固體，將它神聖地供起來，而引致許多人今日的反彈？難道不是因為，中華人民共和國給臺灣帶來的威脅和不安，使得我們對「中國文化」也連帶地反感和厭惡？難道不是因為五十年來政治權力，不管是國民黨還是共產黨，對文化扭曲、疏離、窄化，使得即使政治解嚴了，還是以戒嚴的心靈在看待文化？如果說，當年國民黨，和以往的多數統治者一樣，把本來是多源分流的文化湯湯大河抽取其有利於鞏固權力者縮減成一個簡單的固體，那麼今天民進黨政府在歷史教科書中刪除「中華民國」，用閩南語考試等等作法，是不是在做同樣的事情，把文化大河窄化縮小成固體，供到另一張權力的神桌上？

我可以瞭解民進黨試圖把樹枝扭回來的心情，可是，強扭的話，有一天他放手時，樹枝又會強烈地彈回去的。如果艱辛學習了五十年之後，人們所學到的不是認識到文化的大河本象，反而是把原來的固體換成另一個固體，只是在固體的表面塗上不同的藍藍綠綠的顏色，讓文化繼續為政治權力與意識形態服務，讓「海岸綫」繼續做「警戒綫」——臺灣根本就沒有解嚴。

# 大海國際觀

「綠島」已經在海中綠了幾萬年幾億年了，不是只有那五十年的悲情。「大海」白浪淘盡古今日月，不是只有那五十年的封鎖。「中國文化」與希臘文化、埃及文化、印度文化並列人類文明遺產，大河滾滾，不是只有那五十年的小小的堵塞。時代在考驗的是，臺灣人有沒有能力擺脱歷史的制約、政治的禁錮，看見大海其實不是圍牆，中國文化其實不是哪一個政權所塑形的固體；有沒有智慧以文化的本質、本象來思考問題，討論未來？

如果能夠，我們馬上就會發現，怎麼面對中國文化，當然是國際觀的一部份。當我們去除了觀念的戒嚴，心胸開闊到能夠正視中國文化這條大河，看見大河本色，我們會知道，大河也能招來萬商雲集，也能帶我們縱橫四海。如果我們的母語是希臘語或印度語或希伯來語，我們難道不去擁抱那古老浩瀚的大河文明嗎？源遠流闊的漢語文化是人類文明史的少數主流之一，而我們湊巧是漢語的使用者，這豈不是一種智慧秘笈的饋贈？

懂得漢語，有如手中握着一把鑰匙，容許我們開啟一扇不輕易開啟的門，進入大河，泗泳其中。臺灣良好的教育基礎、小康的經濟體質、民主開放的價值結構，使得我們從大河出來時，很容易創造出新的花園。故宮的藏品——不管政治的爭論——使臺灣成為世界博物館重鎮。雲門把臺灣的名字帶出去，是因為雲門讓世界發現了中國舊傳統最活潑的的現代詮釋。蔡志忠的老子漫畫可以用各國的語言進入國際市場，是因為他讓人們發現東方最古老最菁英的文化其實也可以最現代最通俗。

當我們不用這把鑰匙時，別人會用的。臥虎藏龍和花木蘭讓好萊塢用了；三國演義讓日本人用了，用得爐火純青，使玩電腦遊戲的歐美少年人人熟悉劉備、呂布、諸葛亮，甚至間接促銷了三國演義小說原著的英文版德文版。文化的輸出換取利益的輸入，用的卻是中國文化的資本。

二零零八和二零一零年就在眼前，前後好幾年，北京和上海都將是全世界的焦點——北京人和上海人將怎樣把中國文化的資源利用得淋漓盡致？對錯好壞是另一回事，但是他們知道手裏有把鑰匙是確定的，鑰匙將引發的風起雲湧是可以預測的，中國文化更加速地成為國際資源——不管你喜不喜歡——是可以料見的。面對這樣的前景，臺灣是順勢搭中國文化的便車、迅速找到自己的位置呢，是把臉轉向島嶼內陸拒看呢，還是，繼續爭吵歷史課本要不要刪除中華民國、國文作文要不要廢考、用漢語還是通用拼音、公投像不像文革？

沒有人說，中國文化是臺灣的唯一「處方」。如果一定要有「處方」的話，臺灣的「處方」是開闊的大海國際觀，而如何善用中國文化根本就是在考驗我們的國際視野與能力。

## 臺灣文化的核心精神

臺灣文化要建立自己的主體性，要和中國文化有所區分，恐怕不僅只在於我們所樂談的歌仔戲、布袋戲、宋江陣、烽火炮或者放天燈。這些都是重要民俗技藝，我們要全力保存、發揚，但是他們不是源自中國，就是和中國各地方或東南亞各國極其相似。要和中國文化區分，更不是將「中華民國」刪掉或者把中國史編成外國史就能做到。相反的，由政治權力來主導歷史和文化，反而凸顯此刻民進黨執政的臺灣和集權中國是一種文化。

我相信臺灣文化的主體性必須建立在自由民主的價值觀上。走過日本殖民和國民黨的威權統治，臺灣已經逐漸有了一個共同的價值觀，雖然還不是非常的扎實穩定。那個共同的價值觀包括，譬如說，相信個人價值不低於集體國家價值，相信政府必須受到嚴格監督，相信決策過程必須尊重民意、而且公開透明，相信公器不能私用、權力不能濫用，相信弱者必須受到保護，相信法律之前人人平等，相信文化必須依靠和平的累積而非激烈的革命，相信多元的信念、語言、文化、種族等等，必須，絕對必須，受到平等尊重。

使今天的臺灣文化和今天的中國文化不一樣的，是這些價值，還有這些價值真正落實的程度。在這個價值的基礎上，文學、藝術、學術、思想等等，得到它不同的發展面貌；也是在這個價值基礎上，鄰里關係、公民行為、商業倫理，城市風貌，得到它不同的氛圍。自由或不自由，對人尊重或不尊重，開出來的現代文化就是不一樣。華語的中國傳統文化落在這些新的人本價值基礎上所開展出來的新文化，就是臺灣文化。

以民主自由、開放多元為最高價值，優先次序就會很不一樣：海岸法可能比公投法還迫切；根本解決原住民的劣勢處境、對原住民文化與生存哲學謙卑地去瞭解和學習，還給原住民平等和尊嚴，可能比改不改國號來得重要；公民素養的培養、國際觀的建立、全民藝術教育的落實，基礎科學和高科技的研發，經濟政策的徹底國際化以提升競爭力等等，可能比在教科書裏更改歷史急迫重要得多。

歷史當然可以更改，但是，在一個自由開放的社會裏，歷史的更改要經過長期的論辯與溝通之後而行。那個尋找共識的過程就成了凝聚社會的力量。民主社會與極權社會有一個根本的不同：在前者，過程比結果還要受到重視。

歌仔戲還是京戲，閩南語還是北京話，臺灣共和國還是中華民國，民進黨還是國民黨，都是表面形式罷了；如果開放、寬闊、容忍、多元的價值不成為文化的核心內容——譬如說，如果臺灣人覺得從中國大陸偷渡來臺的女孩子們落水溺死是「活該」，如果還是以一個新的固體取代舊的固體，僵化狹隘依舊，觀念戒嚴依舊，鎖國心態依舊，我不知道談臺灣文化有甚麼意義。

綠島是綠島。大海是大海。中國文化是文化。讓我們心靈解嚴吧。

原載於二零零三年十月十五、十六日香港《信報》

# 輯三：

# 從《野火》到《冰點》

# 讓如炬的目光穿透迷霧

知一

作家

在《野火集》問世二十年後，龍應台突然又像當年那個「小紅帽」闖入黑森林一樣，面對她所熟悉的混沌而微妙的局面。她看見冰蓋堅硬如故，卻分明聽見冰層開裂的動人聲音。不可思議的事情發生了，似曾相識的一切又重現。不同的是，二十年前天真的「小紅帽」，如今是華文世界一名久經風雨的堅定而睿智的公共知識分子，而這一次，她闖入的是二十一世紀初年的中國大陸，是歷史的進步、歷史的停滯、甚或歷史的倒退同時發生着的中國大陸。

本書的第三輯，是與龍應台致胡錦濤的公開信〈請用文明來說服我〉相關的部分重要文獻。它們勾勒出一段極為重要的史實：一個臺灣思想者，以她犀利的文字，穿透大陸言論鉗制的樊籬，發出自由的強音。而這些令中國大陸讀者驚異而擊節的文字，在臺灣又激起別樣反彈，引來批評聲浪。從民主、均富、文明，迅疾擴展到資本主義、全球化等宏大命題。

包括出現在大陸網路上的〈為臺灣民主辯護〉和先後見諸《中國青年報》的〈你可能不知道的臺灣〉（在臺灣發表時題為〈你不能不知道的臺灣〉）、〈文化是甚麼？〉（上、下篇）和〈一個主席的三鞠躬〉），是龍應台在大陸響亮發言的四個衝擊波。中國共產主義青年團是中國共產黨的「接班梯隊」，身為共青團中央機關報的《中國青年報》是受控制極嚴的「黨報」。然而恰恰是在這「黨的喉舌」，一發而不可止地接連刊出了龍應台的長文。《冰點》前主編李大同的〈從《野火》到《冰點》〉，披露了發表龍文的諸多內情，追述了《冰點》如何創造了「不可能的可能」。這是從極權時代步入威權時代的中國大陸現實：極左年代的萬馬齊喑已不復存在，「控制媒體」和「媒體反控」的角力令局面迷蒙。正是面對這樣一個不可能非黑即白判然二分的現實，龍應台和管制者機敏鬥智，在他們意想不到的地方驀然出現。對《你可能不知道的臺灣》，當局起初茫然失措，繼而向媒體下達傳統的思想訓誡；但《冰點》很快又將另二篇龍文刊出，甚至制定了每月刊出一篇龍應台長文，最後彙集成大陸版《野火集》的計劃。《中國青年報》是標準的「黨報」，但如同在臺灣，即使是國民黨黨報《中央日報》，主張「先日報後中央」的新聞人也曾對自由孜孜以求，《中青報》的敢言傳統，特別是在八十年代中共開明領導人胡耀邦主政時期形成的獨立風骨，一直頑強地存活。似乎是奇蹟：就在這控制嚴密的黨報內，有李大同、盧躍剛等一批優秀的自由報人，他們創辦的《冰點》，成長，壯大，贏得讀者的廣泛支持，已達十年之久！這也就是為甚麼，龍應台的文章在《冰點》刊出，有如此巨大的影響。中共體制內改革的能量，中國大陸內部變革的可能，「隔岸」遠眺的人們不易看清。

李大同們曾樂觀地相信，一個「博弈時代」已經到來。但龍應台並沒有因在博弈中得分的竊喜，相反，她憂心忡忡。從本輯〈一個人的筆記〉中當時她和友人的一些通信，可以窺見她極為矛盾的心情。她和臺灣朋友談到對《冰點》安危的憂慮(早在《冰點》遭停刊整肅前數月，網路上就有一篇〈哀悼：中青報冰點專刊因刊登龍應台雄文而停刊！〉的假報導)；同時，她憂慮這些為和管制者周旋而不得不採取的「策略寫作」，會引起臺灣讀者的誤讀——這樣的情形果然發生。龍應台在大陸媒體上正面論述臺灣的民主經驗，立刻招致臺灣知識界朋友的尖銳批評。

趙剛發表〈和解的壁壘〉批評〈你可能不知道的臺灣〉，他指出：「冷戰時期美國的現代化意識形態形塑了龍女士理解臺灣（以及世界）的框架，並傲慢地用此一框架衡量中國大陸，這使得『中華民國』和『中華人民共和國』代表了兩種文明，之間有不可跨越的文化壁壘。這個冷戰的、現代化意識形態的心態結構，無論對兩岸的真正和解，或是臺灣社會內部的正義發展都是有害的。」這篇文章十分迅速地出現在大陸二零零五年第七期《讀書》雜誌上，這份雜誌以「新左派」色彩濃厚著稱。

「新左派」和「自由主義」，是上世紀末在大陸逐漸成型的兩大思想陣營，和臺灣思想界的分野有大致的呼應。大陸「新左派」和臺灣左翼思想者對臺灣民主的懷疑和否定態度是相近的，一位大陸歷史學家給龍應台的信對此有感：十餘年來，陸續有臺灣知識分子的「思想登陸」，「但他們被後現代思潮牽着走，登陸的是批判新自由主義的後現代思潮，而不是最為緊要的臺灣民主經驗。在他們眼裏，臺灣只有臺獨分裂，沒有民主經驗。大陸知識分子與他們談臺灣民主轉型，他們報之於輕薄的眼光」。

旅居美國的大陸思想者林達，曾寫過多本介紹美國民主歷程的著作。本輯中林的〈心有壁壘 不見橋樑〉一文，回應了趙剛的文章。林達指出一個耐人尋味的現象，因為語境的差異，人們在討論同一個命題的時候，話題卻常常錯開。林達認為：「臺海兩岸這場討論，和美國當年的南北討論很相似，雙方雖然討論同一個『統一』問題，話題卻是錯位的。一方說專制太蠻橫，另一方說，民主社會有那麼多問題，專制社會也在經濟起飛，也有進步。」

林達指出了「不幸的龍應台的尷尬處境」：他看到了這場錯位討論的荒誕性，相互交流時大敍述和小敍述對不上，明曉關鍵在制度差異。他站在兩岸之間，在面對大陸發言時，暫時回避民主化之後臺灣的複雜局面，這恰好自動送上門，被一些臺灣思想者斥為膚淺。

本輯中的另一些文字，從另一側面顯示了龍應台腹背受敵的境遇。林佛兒的〈你不知道的臺灣〉一文，乾脆斷言：「中國是一個專制獨裁的國家，沒有言論自由，龍應台能受邀在北京中國青年報寫稿，在共產黨不是同志便是敵人的鐵律下，立場相當清楚。」

《中國青年報．冰點週刊》，其獨立不羈的姿態，令管制者銜恨已久。二零零六年初，大陸中宣部突然向袁偉時教授發表在該週刊的反思批評義和團的文章發難，關閉了《冰點》。龍應台迅即反應，發表致胡錦濤的公開信〈請用文明來說服我〉，文章在海內外以罕有的速度和強度傳播四散。

對《冰點》的懲處，使這場思想爭鳴的某些部分似乎變得簡單直白，又使另一些部分更加錯綜複雜。「冰點事件」無情地證明，制度，確是兩岸溝通的巨大壁壘；指責龍應台站在專制立場的人士，也被真正的「鐵律」逼入死角——專制獨裁固然應驗，然而龍應台是專制的同志還是敵人？〈請用文明來說服我〉激起更為繚亂的思想衝突。在臺灣，為之喝彩的，有人意在醜詆大陸、鼓吹臺獨；持有異義的，則以更加強烈的字句，正面肯定大陸，批判西方，其代表性文章是臺灣著名作家陳映真的〈文明和野蠻的辯證〉。

陳映真認為龍應台被對中國的刻板成見所蒙蔽：「作為一個欠發達的大國，中國的大面積扶貧、脱貧計劃的成就對中國自身和世界的巨大貢獻，即使聯合國、世銀等資產階級機構也不能不刮目相看。十二億中國人民靠自己的努力養活了自己，沒有使自己成為世界其他民族、人民的負擔。而談到中國的大面積和大體積經濟崛起，中國已經成為世界經濟生長點的一部分。她的經濟發展，早已發展成世界和平、多極、平等、互惠發展模式與秩序的推動者，努力團結愛好和平與可持續發展的中小民族與國家，制衡力主自己單極獨霸的大國，而卓有成效」。陳映真闡發了許多在中國大陸都已久違的馬克思主義「階級，階級鬥爭」經典論述，而李弘祺的回應文章〈我寧可選擇文明〉，懷疑陳先生「究竟是在替中國文明爭取甚麼？」李弘祺寫道：「我們心自問，野蠻和文明之間的關係固然是辯證的，但是，我必須選擇那帶有野蠻的文明。讓文明祛除野蠻吧！我不敢、更不願意向抗拒文明的野蠻靠攏。」

本輯中的〈中國政治進入了十字路口〉一文，出自大陸學者楊鵬，他對中國在「發展，進步」的同時又固守專制的現狀作出分析：「改革以來，在對外關係上，執政集團採取的是一種追求經濟增長的務實的、溫和的、理性的政策，為此力求保持一個和平的外交關係。但同時，在政治意識形態領域，繼續牢固地保持着仇外、暴力、專政的暴力革命精神遺產。」楊鵬認為中共黨內保守勢力正在上升，今後中國有可能走上一條政治強權與壟斷經濟結合、對內鎮壓對外強硬的新法西斯政治道路。

就在這些論爭方興未艾之際，「冰點事件」出現戲劇性結局。在宣佈「停刊」後不到一個月，當局奉胡錦濤指令，匆忙宣佈《冰點》復刊，同時罷免前主編李大同、副主編盧躍剛的職務。這讓人們看到，中宣部和共青團中央對《冰點》的停刊懲處，其攻擊點（「學術問題」）、攻擊方式（最容易授「敵對勢力」以柄的「停刊」）和攻擊時機（大陸「全國人大」將開會、胡錦濤將訪美）均給中共最高層製造了麻煩。「冰點事件」的製造者是中共黨內的極左頑固勢力，它無疑反映了體制的痼疾，但以此概括這一代中共領導人的總體執政思路和行事風格，卻不免失真。

這就是二十年前的「小紅帽」龍應台，在新世紀初年的新境遇。「變遷中的不變」，「不變中的變遷」，混合成今日中國大陸的混沌圖景，對它的種種解析、評判、痛責、贊許，掀起洶湧澎湃的觀念激蕩。耳邊是八面來風的呼嘯，眼前是厚厚的迷霧，穿透它，需要如炬的目光。

二零零六年六月十七日

# 中青報刊文介紹臺灣經驗捱批

康若曄　記者

亞洲時報在線二零零五年六月二日

隸屬於大陸共青團轄下的《中國青年報》日前以全版刊登龍應台文章：〈你可能不知道的臺灣——觀連宋訪大陸有感〉，敍述臺灣如何從威權統治一路走來到今日的繽紛多元，引起神州知識分子極大迴響。然而，據瞭解，中宣部並不樂見《中國青年報》刊登此篇文章，並已對《中國青年報》提出訓斥；另外，新浪、搜狐等大型網站針對此文的討論大部份已遭刪除。

龍應台〈你可能不知道的臺灣〉一文於五月二十五日刊登於中央級《中國青年報》，並同步於臺灣《中國時報》刊載，但標題改為「你不能不知道的臺灣」。

文中一開頭以文革樣板戲《紅燈記》在臺北國父紀念館演出開始，把臺灣從過去的高壓集權統治，到民主發展、社會多元的歷程娓娓道來，說明臺灣如何花費了許多代人的心血，把個人生活、經濟民生的「小敍述」地位，逐漸高於神聖不可侵犯的國族主義「大敍述」，乃至發展成今日自由寬容的社會。文末並以連戰在北大演講主題「自由民主」與宋楚瑜在清華的演說重點「均富」，做為小敍述的核心價值。

龍應台雖然通篇談的都是臺灣，都是臺灣曾經有過的經驗，但仔細研究推敲不難看出，其實文章主旨反射的正是活生生今日中國寫照。

今日中國正好處在臺灣戒嚴時期威權統治階段，然而小敍述概念中的個人主義、經濟發展、人民生活滿意指數的標準，卻一再升高，「自由主義」及「均富」概念在人民中間形成暗流，已然成為檯面下的普世價值；但同時間，國族主義的大敍述並沒有就此消失，而是在長期仇日情緒與反臺獨的氣氛，以及經年累月的控管、教育中，依舊壯大。

龍應台的文章中，點出臺灣如何打破「黨」的單一絕對化，開始質疑「黨」所教育的國家崇高、民族神聖等等不可侵犯的大道理，而以千千萬萬個人化多元化的小敍述，一步一步超越了被「黨」塑造渲染的大敍述。

這篇文章刊出後，引起大陸知識分子及文化界極大震撼關注，據《中國青年報》統計，刊登三天後，網路相關報導、評論、轉載就超過一百四十一萬條，有文化界人士認為此文章份量可與連宋訪中等量齊觀，統稱為「連宋龍登陸中國」。臺灣經驗所帶來的自由主義正在大陸大規模延燒。

然而，據北京新聞界人士指出，中宣部對龍應台這篇文章見報並不樂見，但由於已經開了個口子，迴響又是如此之大，一時間也不能有太大動作，以免動見觀瞻，但已對《中國青年報》相關負責人進行訓斥，到目前為止還不清楚是否有後續處置。原本討論十分熱烈的新浪、搜狐時事論壇，目前已經找不到關於該文章的主題，《人民日報》強國論壇、新華社網站論壇，則還留有許多討論，但批評謾罵者居多。主要抨擊龍應台不認同自己是中國人，才會鼓吹這種和平式臺獨言論；也有許多網友認為龍應台不應使小敍述獨佔，讓大敍述缺席，因為沒有國就沒有家；還有網友為一國兩制辯護，要龍應台去看看香港的成果，並斬釘截鐵強調臺灣現有的自由民主不會因統一而改變。

弔詭的是，因為寫了這篇文章在大陸被部份人視為「臺獨鼓吹者」的龍應台，在臺灣卻也被作家林佛兒在《臺灣日報》撰文批評為「既親中又不瞭解臺灣」。這又是一次兩岸間的「各自表述」，恰恰也展現了這篇文章要點出的核心價值——同樣的議題，可以容許存在不一樣的觀點。一個能夠長治久安的政權應該擔憂的不是不同聲音的存在；《中國青年報》刊登龍應台這篇文章，被華人知識分子圈視為勇氣的表現，也展現了機關大報的革新氣象；一個政府真正應該擔憂的，是對既有現況思想進行非理性圍堵，若然，則當群眾開始離心離德時，才是一個希冀國家穩定富強的政權最需要擔憂提防的。

其實，龍應台這篇文章的發表應該是一次偶然，龍應台過去的形象與在大陸的影響力可能讓審查單位「疏於防範」，加上作者以樣板戲《紅燈記》破題，文字中也找不到任何針對性言詞，方使這篇文章得以成功「暗渡陳倉」，呈現在大陸讀者眼前。

然而，北京對媒體打壓一向不手軟，中國歷朝歷代的文字獄在現今社會中以各種不同面貌重演，為和平崛起中的中國，在國際間蒙上一層揮之不去的陰影；連宋登陸後兩岸有了更多相互交流機會，使臺灣民眾對大陸有不同以往的認識，不再迷信於過去國民黨、現今民進黨灌輸的共產黨形象，而是眼見為憑的，看到一個發展蒸蒸日上的新中國。

不幸的是，龍應台這篇文章發表後，主管機關似乎又開始磨刀霍霍；只不過，已經撒下的火種恐怕難靠車薪杯水來撲滅，更何況，這些火種已經深深藏在人們的腦海、心中。

龍應台的野火，正燒向中國核心。

# 你不知道的臺灣

## ——讀龍應台〈你不能不知道的臺灣〉有感

林佛兒

作家，李登輝學校海外臺灣人國是班第 期，臺灣南社社員

《台灣日報》〈民意論壇〉，二零零五年五月二十八日

《中國時報》五月二十五日全版刊出龍應台的大作〈你不能不知道的臺灣〉，副題觀連宋訪大陸有感。這篇文章在編者按中述明是作者應北京《中國青年報》之邀所寫，今得作者同意，與北京《中國青年報》同步刊出。中國是一個專制獨裁的國家，沒有言論自由，龍應台能受邀在北京《中國青年報》寫稿，在共產黨不是同志便是敵人的鐵律下，立場相當清楚。龍應台父母雖來自中國，但她在臺灣出生長大，拿中華民國護照，並接受馬英九市長之邀出任臺北市文化局長。這樣的身份受到中國的青睞，只證明一點，龍應台至今未曾著文批判過中國共產黨；雖然龍應台二十年前出版《野火集》像星火燎原般地狂銷，其《中國人，你為甚麼不生氣！》雖然引起正反兩面廣泛的討論。

## 星火燎原《野火集》狂銷

但在那個年代，其所謂的「中國人」，泛指的是在臺灣的臺灣人（本籍及外省人）。一個潰敗來臺寄生的國民黨，用槍桿子，從小學開始把臺灣的圖騰、語言及文化從根拔除，唯一中國的毒化教育，再加上外省人把持的強勢媒體也自認為中國人，所以臺灣人就活生生地變成中國人，幾乎沒有人有異議，即使有也不敢表達出來。龍應台的歷史文化觀，完全停在彼岸中國——她的祖國。她視而不見，或是遺忘了臺灣的歷史與中國的歷史早在三百年前就已經切割，互不相隸屬。地理上有一道狹長而寬闊的臺灣海峽，把中國大陸與臺灣島嶼切開，作為分界綫。如果打起仗來，他是堅強的屏障，勝過百倍千倍的馬其諾防綫。四百年來的臺灣是一個移民社會綜合體，經歷了荷蘭、西班牙、明清、日治與原住民熔於一爐。

龍應台或有色盲，目光如豆，是有其淵源，如果要多一點瞭解她，不妨從她自撰的寫作年表窺知一二。龍應台父母民國三十八年隨國民黨軍轉進臺灣，民國四十一年在高雄縣大寮鄉水源地出生，四十七年入學就讀高雄市鹽埕示範國小，五十三年轉學至苗栗苑裏國小，上苑裏國中，五十六年轉至臺南女中，五十八年考進成功大學外文系，六十四年九月留學美國，在堪薩斯州立大學獲得英美文學博士，七十二年回國任教中央大學客座副教授。以出生地主義，龍應台是一個道道地地的臺灣人，她有母國情結也可以，但在對國家的認同上，她傾向中國，這不也是大部份在臺灣的外省人的普遍現象嗎？

## 國民黨殖民教育惡質

國家認同如此混淆與不忠誠，完全拜國民黨五十年惡質殖民教育與宣傳所致。接受美式教育與民主薰陶的龍應台，當然知道民主為何物，但是當她寫了〈你不能不知道的臺灣〉，呼應並肯定連宋在中國的下作姿態與演講後，並說出「在對的時地，說對的話」後，龍應台告訴你，她是站在甚麼地方，說了甚麼話。在進步的時代與民主世界，每個人都有言論與選舉的自由，只是生長在臺灣的龍應台，不應該以偏概全，誤導閉塞中國的知識分子。她的心結與想法，在臺灣到底是少數，寫了甚麼〈你不能不知道的臺灣〉，其實龍應台真的不曾瞭解臺灣，不管歷史上、文化上、或者臺灣人民的想法與願景。

我的祖先從彼岸渡海來臺已有三、四百年歷史，不要說空泛的「有唐山公，無唐山媽」來形容從臺避禍另闢新天地的移民都是「羅漢腳」，隻身渡海無某無猴。以我先民落腳在舊稱佳里興堡、蕭壠社、麻豆社，即今臺南縣佳里鎮與麻豆鎮一帶，就是平埔族西拉雅的大本營，此地素人的外形與特徵，不用驗DNA就知道，幾乎都有平埔族的混血。汪笨湖常在臺灣心聲節目中說他頭髮鬈毛，他的祖先有荷蘭及原住民的血統，汪先生也是臺南縣安定鄉人。故不論臺灣先民來臺融入這片社群，血統即使百分百純漢人又怎麼樣，在此地都已立足生根四百年啦。

## 壓迫臺灣人與狼共舞

統治者大談血濃於水，漢民族權威問題。究其實，在臺灣要談民族問題，也是談臺灣民族，而不是中華民族。中華民族不只遙遠，而且是他國，具有鴨霸與侵略的惡質。作為臺灣的知識分子——尤其像這種背景身份的龍應台，自欺欺人視而不見，還結合外省中國人的統治階層，壓迫臺灣人接受其與狼共舞，做敵人的入幕之賓，從真理退卻到邪惡的一邊。

臺灣人跟中國人真的不一樣，談過了血緣，不妨再談一點點歷史。遠的不說，就從甲午戰爭清朝被日本打敗，一八九五年，李鴻章在日本下關簽下馬關條約，將臺灣與澎湖列島無條件割讓給日本，是割讓！是打敗仗的代價，不若香港租借給英國而已。清朝或支那或中國，已永遠喪失臺澎主權。臺灣在一紙條約與李鴻章嘴中「男無情，女無義，鳥不語，花不香」的極端侮辱下，變成日本國殖民地。起初先民當然有反抗，有血拚，但她確實不幸地，這是一件不能否認的事實。

李登輝前總統，在接受日本作家司馬遼太郎訪問時說了一句話「生為臺灣人的悲哀」，除了說明自己做了二十二年日本人的無奈；做了臺灣的總統，卻被周邊的外省中國人所包圍，危機四伏不能動彈。李前總統說出一個再簡單不過的歷史現實，被自己的黨內的中國人，從此視為寇讎。在臺灣歷史中，五十年來，一直被逃亡者的中國人，用屠殺，用教育，壓抑和扭曲——直到今天，本土政權已經執政，政府還是啞口無言，還是不能還給臺灣人公道。

李登輝前總統當然曾經是日本國民，不管你願意不願意，它就是一個客觀的事實。以個人來說，我也曾經是日本國民，生於一九四一年，戶口登記的是昭和十六年，哪有甚麼民國三十年的碗糕！過去中國積弱不振，被戲稱東亞病夫，全國軍閥割據，內戰慘烈。所以有八國聯軍攻打北京城，不是割地賠款，就是所有通商大埠都有外國租界。在公園入口掛着「中國人與狗不能進入」的告示牌。日本挾其明治維新而起的強勢國力，在中國東北建立滿洲國。中國歷史上的八年抗戰，南京大屠殺，跟臺灣有甚麼關係？臺灣在日治之下，我的父親與叔叔是日本兵，父親隨日軍部隊駐防中國上海的江灣。叔叔以少年兵到日本大阪地區參與製造零式戰鬥機。連戰在西安躲空襲，是遭日軍轟炸，在臺灣我們也在躲空襲，是美軍在轟炸。一樣轟炸兩樣情，這樣明顯不同的情景和歷史，在國民黨統治下，在教科書上不提這段也罷，嘴巴也要噤聲。不同情臺灣人的悲哀與無奈，反而全面竄改歷史，連蔣介石落寇草山時所說「中華民國已經滅亡了，退此一步死無處所」的所謂中華民國，所謂憲法，全部加到臺灣人頭上來，不接受就人頭落地，有異議就人間蒸發。

臺灣人民能理解，少離老大回的老榮民懷鄉心態，為甚麼一如龍應台等外省知識分子或菁英，即使生在臺灣，在臺灣活了一輩子，還不能認同臺灣，尊重臺灣做為一個主權獨立的國家。言必文必這個已在世界上，甚至中國都已經消滅的中華民國，而不能叫臺灣——這個已有三百年歷史，世界各國的共同稱呼的名字——臺灣。

## 故步自封或選擇遺忘

龍應台不知的臺灣太多了，或故步自封，或選擇遺忘，但在臺灣最大而且唯一的敵國——

中國，用反分裂國家法把臺灣圈為其內部的一省，在國際上無所不用其極打壓臺灣，用七百多枚飛彈瞄準臺灣的同時，連宋到中國去親自絞殺中華民國的最後一根命脈，我們不予評論。去磕頭朝貢，去聯共制臺獨這樣的叛國行徑，我們可不同意。龍應台在文末卻說：「連宋是說了，在對的時刻，在對的地方！」

這是甚麼樣的心態和邏輯，我們心感悚然，而且深覺龍應台語言乏味，面目可憎。

# 心有壁壘　不見橋樑

林達　作家

五月底，龍應台在大陸《中國青年報．冰點》專欄，發表了她的長文，〈你可能不知道的臺灣〉（下面簡稱〈臺灣〉）。接着，大陸《讀書》雜誌（二零零五年第七期）刊登了的臺灣學者趙剛的批評文章〈和解的壁壘〉（下面簡稱〈壁壘〉）。

龍應台這篇文章的發表，是對臺灣在野的國親兩黨主席連戰、宋楚瑜出訪大陸寫的一些感想。龍應台文章發表後，大陸媒體一片寂靜。很快，四個月就這樣過去了。而趙剛的批評文章幾乎是唯一被大陸媒體刊登的反應。於是，他的批評幾乎帶有蓋棺論定的效果。

趙剛對龍應台的批評，主要指龍應台在不同的時代、試圖分別在海峽兩岸推銷以美國為代表的西方現代化。他列舉美國式現代化的種種弊端，指出美國才是龍應台應該批判的正確方向。二是臺灣人趙剛以局內人身份，在讚揚大陸經濟成就同時，列舉臺灣今天存在的種種問題。結論引向：龍應台當年在臺灣引進一把野火，或者說引進以美國為代表的現代化觀念後，臺灣問題多多。現在，大陸發展成績斐然，龍應台卻是持續「冷戰思維」，批評大陸，不僅是攪局，還徒然增加兩岸對話的壁壘。

龍應台的〈臺灣〉一文，究竟是在兩岸之間增設壁壘，還是架構橋樑？

# 一

假如進入對美國現代化的爭論，趙剛的批評，自有其充足論據。現代化是人類社會在自然發展中經歷的一個階段。西方，及其龍頭美國，只是步入其中的先行者。發展到一個新階段，自然會遭遇新問題，需要反省、解決的事情何止萬千。尚未完全走進去的地區，有人看到現代化的優點優勢，會希望推動現代化；也有人歷數先行者遇到的問題，說我們萬萬不能跟着去。這樣的爭論一直在進行，公婆都有理。批評現代化永遠不會缺理由。順便說句也許和主題無關的話，先行者走到這一步，優劣不論，有它必然性的一面。後來者要阻止一個地區的現代化發生，或許先要找到扭轉這種必然性的力量。否則批判歸批判，去還是會去的。

所以，以評判美國現代化的方式批評龍應台，龍應台很難反駁。可是，這需要一個前提：就是認定龍應台〈臺灣〉一文，是在全面肯定、並且試圖在兩岸全面推銷美國式的現代化。如此，別人和趙剛之間的分歧，就是有關西方、美國的現代化的學術討論。

所以，我們先要看看龍應台〈臺灣〉一文，想說的究竟是甚麼。

只要是讀過一點龍應台文章的人，都會注意到，龍應台對美國現代化中的問題有諸多批評、對近年來臺灣遇到的問題，可以說憂慮重重。可是，你確實無法否認，不論二十年前的《野火集》，或是今天的〈臺灣〉一文，龍應台是在堅持西方現代化的某一點價值觀。也就是說，龍應台雖批評西方，卻沒有全盤否定西方的價值觀。我想，在展開對美國現代化的批判之前，應該把龍應台在堅持的那一點東西找到，看看那一點價值究竟是甚麼、是不是有道理。

對這一點點價值觀的宣揚，正是二十年前《野火集》在二十一天裏印了二十四版的原因。與其說是龍應台獨自點燃一片野火，還不如說她只是點燃了一個火種。火種一點，野火自然在燃燒開來。這是因為臺灣民眾在呼應。所以，不管你喜歡不喜歡，《野火集》不是一個作家的個人事件，而是臺灣歷史上的一個重大事件。由於這個價值觀普遍為民眾所接受，臺灣隨後發生了一個質變。這個質變，如龍應台所說，是許多臺灣人幾十年來努力的結果。

在包括龍應台在內的許多臺灣人心中，不管今天的臺灣有多少問題，這個質變，標誌着社會的一個進步。假如要從「西方現代化」這個汪洋大海中，準確地撈到龍應台在宣揚的那個價值觀，我想，先要確認：二十年前，由於這個價值觀的確立，臺灣發生的質變是甚麼。

我吃不準在趙剛眼中，臺灣這個本質的進步是不是存在。因為在他的〈壁壘〉一文中，應用美國學者的定義，把美國和臺灣定義為非民主制。檢驗標準是從社群主義理論引出的：沒有給入境工作的外國人以公民權，就是公民—暴君制。

另一位臺灣著名左翼知識分子南方朔，在不久前接受採訪。南方朔經常在批判美國現代化，可是談到臺灣現狀，他的看法稍有不同，他說：臺灣現在畢竟進步了，現在你批評政府，它不會抓你去坐監。這也是一個臺灣局內人，根據切身體會，用最簡單的常識，準確道出了臺灣質變的關鍵——專制的政府不存在了。

回頭再看龍應台的《野火集》和〈臺灣〉一文，其實無涉從每一個細節全盤肯定西方現代化，而只是堅持一個最基本的價值，那就是，應該從專制走向民主、走向公民社會。批評政府的人，政府不應抓他去「坐監」。

## 二

趙剛偏重談到了臺灣今天存在的問題，大陸今天的成就，把今天大陸之進步、成就對比了臺灣的問題、麻煩。我相信，趙剛文章實在篇幅有限，舉的例子只是萬千事實之一二，這些列舉，絕對不錯。

民主體制絕非解決一切社會問題的仙丹妙藥。接下來，趙剛潛在的問題是：臺灣民主化之後，如所有的民主國家一樣，有自己各種各樣的問題，甚至出現許多以前不存在的嚴重問題。而在一個專制體制的社會中，仍然可能經濟起飛，發生巨大的社會進步。臺灣的經濟起飛，就是在民主化之前，既然如此，為甚麼還要民主化？

這讓我想起，將近一百五十年前，美國也在討論同樣的問題。南方和北方，在討論廢除奴隸制。奴隸制和專制一樣，曾經都不是甚麼見不得人的事情。它們只是社會歷史發展的產物。人們曾經對它們習以為常。可是，不知從哪一天開始，人們對奴隸制就是說甚麼也看不下去了，哪怕自己並不是奴隸，哪怕自己可以從這個制度得到好處，還是覺得忍無可忍。人的價值觀開始發生變化，內心中就有一些甚麼東西在甦醒。

在美國，這個變化先發生在北方。當時，先行廢奴的北方，出現嚴重的種族問題，甚至犯罪率升高、產生種族衝突、暴亂等等。南方在當時有兩個特點，一是奴隸制，二是嚴刑峻法，刑事罪判得極嚴，囚犯服刑長而極苦。所以，相對來說，南方地區秩序井然，犯罪率低。這是南方長期來的驕傲，所謂南方式「法律與秩序」。同時，由於美國當時還是農業經濟，依賴奴隸勞動的南方，經濟發達，富得流油。要不要廢奴的討論，只要避開奴隸制的人道問題本身，從經濟發展和社會等各個角度去看，可以說北方處處都理虧。結果，討論在以一種奇怪的方式進行，就是雙方雖然在討論同一個制度的存廢問題，話題卻常常是錯開的。你談奴隸制的人道問題，我談經濟和社會治安。

南北戰爭強行廢奴之後，南方舊有的觀念並沒有改變，又開始了將近一百年的種族隔離，黑人處於被壓抑的地位。在相當長的時間裏，涉及黑人的案件，很容易引起民眾私刑。因此，當時南方的犯罪率仍然比北方要低得多，尤其是大城市。於是，北方和南方，關於是否要廢除南方幾個極端州種族隔離的討論，又持續了一百年。

一九六三年六月二十六日，為聯邦最高法院撤銷南方種族隔離的判決執法，聯邦司法部長羅伯特·肯尼迪來到阿拉巴馬州。他和州長沃利斯，就發生了一場經典的南北爭論。沃利斯州長對聯邦司法部長指出，阿拉巴馬這樣的南方州，一直是安定和秩序井然的。而恰恰是實行了種族融合的北方，問題一大堆，無法擁有南方這樣的秩序。司法部長羅伯特·肯尼迪也承認，北方確是存在種族矛盾、存在許多問題。這時，沃利斯州長驕傲地打斷他説，我們這裏就沒有這樣的問題。我們南方安全、安定。不論在阿拉巴馬的哪個城市，不論是白人區還是黑人區，夜晚你都可以去散步。你們北方的城市做得到嗎？

沃利斯説的是事實。在這場辯論中，司法部長羅伯特·肯尼迪明顯處於不利地位。在一定的程度上，個人的平等自由，與社會的安定秩序，是互為代價的。在南方廢奴和廢除種族隔離之前，每一個人都能夠清楚預見到，南方的大城市將立即出現和北方一樣的種族問題和衝突。最後，它也果真出現、甚至持續至今也沒有完全解決，所有生活在這個社會的人，都在為此支付代價。

可是，站在今天，即使在南方，即使是一個仍然有種族歧視觀念的人，也都已經確信，不論將支付怎樣的社會代價，當年奴隸制和種族隔離的廢除，勢在必行。因為，社會進步了，有了人道的基本要求。隨着現代化的進程，文明水平提高，已經把奴隸制、種族隔離，先後劃在了能夠被接受的底綫之下。阿拉巴馬州當年的沃利斯州長，晚年坐着輪椅到黑人教堂，為自己當年維護種族隔離而向黑人道歉。他說，廢除了種族隔離後的阿拉巴馬，比當年的阿拉巴馬要好得多。被劃在文明能夠接受的底綫下面的，還有專制。如南方朔所說的，在專制制度下，你批評政府，政府可以「抓你去坐監」。你沒有批評的自由，沒有言論的自由。為了發表言論，你可能失去人身自由甚至生命。今天的現代社會，認為這實在是太野蠻，就像當年看奴隸制，覺得無論如何看不下去。臺灣社會問題再多，你請臺灣民眾回到當年的專制體制試試。

二戰之後，國共對決，成你死我活之局面。慘烈厮殺，死傷無數，最後分踞臺灣海峽兩岸，幾十年勢不兩立。可是，其實兩岸之間，它們的本質、它們的思維方式有很大的一致性。所以，相互之間完全不缺乏瞭解和理解。它們互稱對方為「匪」。它們對政黨的理解，都是革命黨思維，區別只是各自認定自己是「革命黨」，而對方則是反革命的「匪黨」、「匪幫」。它們都不知道「議會黨」為何物，所以，在各自的勢力範圍裏，都不容許任何反對黨的存在。它們都禁書，區別只是你禁我的，我禁你的。批評政府，政府都要抓你去坐監。因此分別有過「白色恐怖」、「紅色恐怖」。這種思維方式的一致性，來源於它們社會制度的一致性。和解的壁壘，來自於它們共同的敵對思維。

三十年前，大陸走出它最低谷的文革時期，開始了長達三十年的改革開放。臺灣開始了它的民主化進程。回首以往，和自己的過去相比，可以說都是翻天覆地的進步。這種進步導致它們在逐步努力消除敵對，在相互走近。從經濟交往，到今天的思想交流，那麼，是不是它們之問今天就已經沒有壁壘，可以順利和解；是不是天下本無事，而是如趙剛所批評的那樣，反是龍應台的文章，在增設「和解的壁壘」？

兩岸都進步了。進步的內容卻並不相同。用南方朔的那句平常話來檢驗，兩岸進步的本質差異立現。

大陸政治制度的進步，還沒有走到從文明社會能夠接受的底綫，沒有躍出的那個關鍵點。龍應台的〈臺灣〉一文，試圖介紹臺灣如何走出「廢除奴隸制」這一步的經驗，希望成為大陸的借鑒，這是龍應台的本意。因為制度的差異，造成思維方式的差異，也就必然導致理解的差異。在龍應台看來，這才是兩岸和解的壁壘。這其實不深奧，道理很好懂。你說兩岸文化相同，血濃於水，理應成為一家人，現在分作兩家，太不近人情，這是大敍述。可是，落實到具體問題，就是龍應台說的小敍述，我自己小家庭過日子，不管怎麼說，過得自由自在；看看那個大家庭，說是批評家長輕則要受罰，重則要沉潭，我當然不敢捨命合進去。

臺海兩岸這場討論，和美國當年的南北討論很相似，雙方雖然討論同一個「統一」問題，話題卻是錯位的。一方說專制太蠻橫，另一方說，民主社會有那麼多問題，專制社會也在經濟起飛，也有進步。龍應台看到了這場錯位討論的荒誕性，相互交流時大敍述和小敍述對不上，只明曉關鍵在制度差異。回頭看看，要臺灣人退回二十年前的制度，勸退的門也沒有。於是，只有一條路，就是把臺灣人走過的「來路」介紹給大陸，希望此岸與時俱「進」，走出專制，使得對話的壁壘，自然坍塌。我想，這是龍應台的本意。

三

趙剛批評龍應台的一個有力論據，就是在龍應台主張的東西前面，加上西方、美國的定語，頗具殺傷力。它把注意力吸引到「定語」上，令讀者不再深究龍應台主張的那個東西是甚麼。它直刺人們的民族自尊心，人們只是隨着趙剛的指引，開始問：「我們為甚麼要舶來的價值觀」，更何況，這舶來品還是來自於我所討厭的美國。

那真是悠久古老的話題：生活在不同文化中的人，是不是存在一些最基本的共同價值觀。照今天的時髦說法，是不是有普世價值。說它悠久，是因為這個問題的誕生遠在美國誕生之前，它在兩千年前就有了。

兩千年前的羅馬人西塞羅老頭，他講了一句話，曾讓我大吃一驚。他說，世界上沒有甚麼會像「人」那樣，彼此之間如此相像。他認為，若究根究底，人與人之間，就像一個人自己跟自己那麼相似。我看了之後，本能的反應就是意見不同：這怎麼可能，人和人之間差別太大了。

原來，西塞羅是在試着探討人的「自然本原」的狀態。他要刨去人在社會中長出來的枝枝椏椏，追蹤到人還像亞當夏娃那樣，很純樸地站在伊甸園裏，還沒有被社會文化侵染之前的狀態。這種對人的本性的追根溯源，又有甚麼意義？原來，這位兩千年前的羅馬律師和政治家，試圖從人的自然狀態，找出人類社會的自然法觀。

一旦進了伊甸園，你會發現西塞羅還是很有道理。仔細打量，人和人之間，真的就有非常近似的那一部份。所有的人，都有一些絕對不願意發生在自己身上的事情。比如說，只要是個正常人，就沒人願意自己被殺被搶的，沒人願意當奴隸的，沒人願意別人騎在自己頭上作威作福的，沒人願意發表一點意見就被關起來、殺掉的，等等。這才是人「自然本原」的狀態。人要維護自己這樣的生存狀態，就是維護人的「自然權利」。這權利與生俱來。就剛才那簡單的幾個「不願意」，已經隱含了生命的權利，平等的權利，人身自由的權利等等。維護自然權利的法，就是自然法。

所以，西塞羅在兩千年前已經認定，法律不是甚麼人隨便說了算的，就算憲法也不是立法機構通過了就算數的。它的後面，必須還要有「自然法」。鑒定是不是符合自然法，其實很簡單。這就回到了「人和人之間在本質上是一樣的」這句話。我們只要把立法者放進去試試，就知道這「法」是否正義。比如說，你打算立法，規定說，只要執法機構願意，某人沒犯罪也能把他給抓起來。那麼，最簡單的測試辦法就是，對立法的那傢伙說，假如你沒犯罪，人家就能把你給抓起來，你覺得可以嗎？假如你認定別人不可以這樣對待你，你對別人這樣立法就肯定

「不正義」。

在人們發現人與人之間是如此相似的時候，不僅是法律基礎，價值觀問題也迎刃而解。本質如此相同的人類，說是完全沒有共同價值觀，反倒令人百思不得其解。每個民族的文化，固然有一些特別的東西，可是，也終有一些核心部份，是人類共同的。

所以，另一個比西塞羅還要早的羅馬老頭狄摩西尼說，「每一種法律都是一種發現」。法律不是胡編亂造、隨心所欲的，正義的法律是對自然法的發現。我想，正義的社會制度也是如此。人類在現代化的過程中，對一些共同的核心價值的確認，也同樣是一種對人性的逐步「發現」。

因此，不能忍受人被奴役，不是美國北方的價值，也不是西方價值，而是一種普世價值。只是，不同的地區，走向現代文明的時間不同，在當時，美國南方認為，那不是他們認可的價值，今天的美國南方人，已經覺得他們前輩的想法不可思議。照南方朔的講法，因為他們「進步」了。

同樣，「你批評政府」，要「抓你去坐監」，也是在進入現代文明社會的人們，感到不可思議的事情。不能因為美國人也這樣想，就說那是美國的專利價值觀。認同這個價值的那麼多國家，肯定沒有一個，會情願把這個專利單單出讓給美國。

# 四

從題目就知道，龍應台文章是寫給大陸讀者的。趙剛在〈壁壘〉一文中曾提到，在諸多論連宋大陸行的文章中，龍應台的〈臺灣〉一文「最具行銷力」。不知他是否注意到，堪稱奇事的是，「最具行銷力」的文章，怎麼會沒有任何「感召力」，看不見大陸媒體刊登讀者反應。我們否認專制的存在，專制政府又以扼殺討論的方式，讓所有的人看到了它的存在。

專制制度的存在並非奇恥大辱，因為每個國家都經歷過專制。它像奴隸制一樣，只是人類政治制度發展的一個階段，一種形式。只是，在現代文明已經非常深入人心的今天，作為一個大國，斷然拒絕走出專制，就有可能給自己帶來恥辱。

專制和奴隸制一樣，是一個歷史遺產，它的出現和存在，都有它的原因。就好像一句哲學俗話「存在的都是合理的」。因此，根據不同的「存在」狀況，不同國家的條件、不同的歷史時期等等，如何終結一個過時了的制度、實行轉型，也是一個非常複雜的課題。

美國在建國時，就曾經希望逐步實現廢除奴隸制。聯邦提出了不得再進口奴隸，即不得擴大奴隸制的年限，也鼓勵各州根據自己的情況，自行逐步廢奴。沒有立即廢奴的一個重要原因，是當時有些地區的經濟全部依賴奴隸勞動力，需要一個調整、緩衝的過程，以避免經濟的剛性崩潰。之後，一個模式是北方各州提前禁止進口奴隸，根據自己的實際情況，主動轉變，廢除了奴隸制。另一個模式是南方，由於貪戀奴隸制帶來的經濟利益，能拖則拖，甚至有的州對奴隸制的態度轉而強硬，有一意孤行、堅持不廢的趨勢。

美國最後是陰差陽錯、以戰爭的形式廢奴，給南方帶來經濟毀滅。南方的蓄奴州本身是有責任的。它們沒有及時跟上時代的進步，它們不肯承認這是一個不人道的、必須積極着手廢除的制度，沒有主動制定切實的計劃和時間表，沒有考慮如何逐步在經濟上減少對奴隸制的依賴，以合理的步驟儘快廢除不合理不人道的制度。

南方由戰爭和突變的方式被動廢奴，不僅經濟被摧毀，也帶來法治的倒退，整個南方支付了慘痛的代價。支付代價的，有南方的白人大眾，也包括剛剛被解放的奴隸。經濟突然崩潰，也就沒有工作機會，有些前奴隸甚至連原來當奴隸時的一口飯也吃不上了。因此，制度轉型確實存在如何轉、如何儘量減少地區和民眾支付代價的問題。

專制制度既然是歷史遺產，如何轉型的討論，也就是一個十分正常的話題。臺海兩岸，無須避諱，臺灣是制度轉型的先行者。他們有和平轉型的良好經驗。例如，原來行使專制統治的、形象衰老的國民黨，逐步改變自己，轉換為一個民主體制下的議會黨，正在逐漸呈現朝氣蓬勃的面貌；二·二八慘案積累五十年的民怨，也以和平的方式疏解開來，走向和解，如此等等。如趙剛在〈壁壘〉一文中提到，臺灣在民主化之後也遇到許多新的困惑。這些，也當是華人社會萬分寶貴的經驗。例如，現在的大陸，應該就可以討論，在民主化之後，媒體如何做到專業、中性和自律；民眾如何保持個人的獨立性、對政客們的煽動持有警惕，不輕易就大呼嚨地衝上街去。讓民眾理解，民主體制下，原來的問題不會一夕間就消失，權錢勾結和黑社會也不會一朝就消亡。民主轉型後，我們只是多了監督的手段和加強法治的途徑。道路仍然可能十分崎嶇和艱巨。這樣的討論，加上臺灣經驗和教訓的引進，對未來的大陸，是極其有益的。對彼岸經驗教訓的討論，可以使此岸對將來轉型後可能遇到的社會問題，持有充足準備。公開的討論，也讓民眾對漸進推動的民主化進程有所理解，產生希望和信心。

可是，這必須有一個前提，就是，我們必須承認臺海政治制度差異的現實，承認制度差異形成的對話壁壘之存在。

迴避這個現實存在，討論不是被封殺，就是無法進行。龍應台不是沒有能力清楚地看到和闡述臺灣今天遭遇的新困惑，她也不是不想對大陸的讀者們同時介紹臺灣民主化之後出現的問題。可是，這就像當年在美國的討論，當南方堅持奴隸制發展了經濟、繁榮了文化，必須世世代代繼續下去的時候，北方對南方談廢奴後遇到的種族問題困惑，就顯得沒有意義。在迴避奴隸制非人道本質的前提下，如此方向的討論，只會為南方奴隸主所利用、為他們堅持奴隸制提供口實。更何況，今日之大陸，就連兩百年前奴隸制下美國南方的那點新聞自由都沒有。如若要閹割你說過的話，你連招架還手的縫隙都沒有。

這正是不幸的龍應台的尷尬處境，她站在兩岸之間。她在面對大陸發言時，暫時迴避民主化之後臺灣的複雜局面，這恰好自動送上門，被趙剛斥為膚淺。對如此斥責我也很費思量，趙剛是看不明白這一點「龍應台言說之困境」呢，還是有意掠過、假裝看不明白。我不敢再想下去，前者質疑的是智力，後者質疑的是討論的善意，都不是可以妄加猜測的事情。

龍應台〈臺灣〉一文所作的努力，是在作一個推動，希望人們開始這樣的討論，承認兩岸曾共同擁有的專制遺產，以平常心待之。從討論臺灣正面的經驗開始，引出一個良性的討論和互動，如此，臺灣在民主過程中的負面教訓，也就可以自然引出。她不無天真地希望，這能夠成為消解兩岸交流壁壘的一個開端。因此我想，她對自己被指為「增設對話的壁壘」，怕是哭笑不得，不知此話從何說起。

此後大陸媒體一片寂靜，不是因為大陸民眾普遍認同趙剛的指責，因而使得人們不願意回應龍應台。而是回應的所有言論出口，由一隻巨手即已全部堵住。如果說，當年龍應台在臺灣引發的反響，猶如野火的話，龍應台的〈臺灣〉一文，在大陸眾多媒體的反響，則如一塊石頭丟進一口深潭，連「噗通」一聲，都不可能聽見。

於是我又忍不住猜想，趙剛文章成為唯一例外、得以在大陸最著名的雜誌刊出之後，他會想甚麼。他會認為這是源於自己的見解獨到呢，還是一個意料之中的原因？

我真的沒有能夠猜出來。

二零零五年九月十一日

# 後記

我以前從不寫與人公然論爭的文章，一方面或許是性格使然，另一方面，想到自有天下袞袞諸公在，需要爭辯的事情，惟見發言者過眾，從未聽說有缺人的事情。

龍應台〈你可能不知道的臺灣〉一文，其實在大陸刊出的已經是經修改的版本，甚至連題目也被改掉(原來叫做〈你不能不知道的臺灣〉)。這樣的事情假如發生在我身上，不值一提，我在大陸長大，早就養成做一個作者的好脾氣。道理很簡單，你是寧可文章缺胳膊斷腿接不上氣，還是寧可編輯為你的一篇小文而丟失飯碗，三餐斷頓？龍應台不一樣，被臺灣寵壞，常常聲稱寧可不發文章，也要以全身進退。這次居然也委屈自己，可見雞蛋面前，石頭之硬。說的當然不是編輯。

龍應台這篇文章出來，我是老習慣，看到好看文章很開心，就多看兩遍，說，好看！就過去了。一開始並沒有想過要寫甚麼評論。心裏曾料想後面自有許多呼應出來，不會說是還缺少一個趕熱鬧的人。我的估計應該說有點道理：龍應台介紹的臺灣，在中國大陸，確為很多人所「不知道」，其中娓娓道出的常識，更令很多從未接觸過這些說法的人，有恍然醒悟的感覺。按說，大陸人口眾多，和臺灣不可比，如若有當年《野火集》在臺灣的反響，也不應是甚麼太稀奇的事情。

可是，還真是不由你不信。龍應台的〈臺灣〉一文出來，僅僅因為她以介紹臺灣民主化之後的生活變化開始，溫和地向大陸讀者道出了兩岸的制度差異，指出這種差異實為兩岸溝通交流之關鍵障礙，結果，整個大陸草木皆兵，只要和龍應台文章相關的任何正面議論都被封殺，天網恢恢，沒有一點點響應文字被容許從媒體「漏」出來。

大陸的學者和民眾，習慣這般處境，視作理所當然。不論是試了也無媒體敢刊出，還是知道反正無法刊出而乾脆不作嘗試，總之，萬馬齊喑。龍應台好端端一篇介紹臺灣的文章，一篇被趙剛稱為「最具行銷力」的文章，在大陸生生淪為孤家寡人。這倒也罷了，畢竟在大陸如此遭遇，龍應台絕非第一人。可就在這樣的背景下，在臺灣享受着百無禁忌言論自由的趙剛，卻完全「忽略」龍應台和大陸民眾遭遇的這種「一手可遮天」的制度性蠻橫，有本事假裝甚麼都沒有發生，貌似公允地來大陸「討論」，推出對龍應台的「批評」文章，也因此得到此岸的制度性配合，以無可比擬的優勢，在大陸曾經是首屈一指的《讀書》雜誌刊出。在一個十三億觀眾的、不容反駁的看臺上，作出被大陸言論管理部門欣然放行的「學術批評」。

我們還記得，《讀書》雜誌曾經是編輯們的驕傲。在説錯話便殺頭如割草的文革剛剛結束時，人們還在心理慣性中徘徊觀望、進半步退半步的沉悶空氣中，這本雜誌第一個提出

「讀書無禁區」。不是説在二十世紀末刊出這句話的雜誌有多麼了不起，而是刊出一句平常話竟然需要如此大的勇氣，以致要被人念念叨叨記到今天，折射了大陸當時的氣氛和環境。如同今天，不是在二十年前領悟「要講真話」的巴金有多麼偉大，而是在二十一世紀初，巴金去世時，大家還紛紛出籠，草草掠過文學大師的巨著《家》、《春》、《秋》，卻齊聲盛讚巴金之偉大在於「提倡講真話」，把一個文學大師和一個幼稚園教師的成就相提並論，竟然誰也不感覺異常，這才是折射了今日大陸之言論環境的悲涼。

眾人説不出自己的聲音，只能鼓號齊鳴，讚揚巴金「提倡講真話」以澆自己心頭之塊壘，只因此刻《讀書》早已「有禁區」，禁區還時不時在擴大中，這種情況下，《讀書》卻推出趙剛對龍應台的「批判」來。

這是我忍不住破規矩要寫這篇文章和趙剛理論的原因。

寫完之後，照理，刊登趙剛原文的《讀書》也有責任刊登這樣的讀者回應。可是，眾所周知，這裏的邏輯，理所當然應該不同，我雖然知道刊發無望，還是給《讀書》寄去。編輯一定在苦笑，會奇怪我的無知，「這怎麼可能刊發」。甚麼都不説我也知道，《讀書》已經辦到了編輯失去自己最看重的職業自豪感的地步。接着嘗試把稿子發給《冰點》，信中説明只是「死馬當作活馬醫」，果然是回天無術。

最後，在遙遠的外省刊物，和編輯就刪除「敏感段落」苦苦掙扎，雖然刪得心痛，可心裏很明白，能刊出大部份，已經需要編輯的非凡勇氣。於是，這篇文字磕磕巴巴，也就至今未能全文在大陸與讀者見面，在雜誌刊發不行，收入自己的文集也不行。現在要作為附錄，去到臺灣進入龍應台的文集，這是甚麼樣的《愛麗思漫遊仙境記》。

回頭倒是聽説趙剛又推出了批龍應台的新作，順利地再次刊在大陸又一個重頭媒體《中國青年報》，這次「批評」龍應台之餘，據説也捎帶「回應」我的這篇文章和崔衛平的一篇文章。

可是，我已經懶得再看，心裏倒是想過，真難得趙剛還有此番雅興。

如此文人相爭，還有甚麼意思？

這一切的始作俑者，當屬龍應台的〈臺灣〉一文。不到一年，刊出此文的《冰點》主編，已經被迫離開編輯部。對〈臺灣〉一文可能的討論參與者們，都被封殺在媒體之外。

趙剛現在的「批評」對象：1、龍應台的新文章《請用文明來説服我——給胡錦濤先生的公開信》，在大陸媒體不得刊出；2、趙剛所「批評」的崔衛平的那篇文章，在大陸媒體也不得刊出；3、趙剛「批評」的我這篇文章，只能在成段刪改後，在發行量很小的外省雜誌刊出，即便如此，讀了趙剛文章的讀者，仍大多讀不到我的這篇文章。

在趙剛的「批評」文章頻頻發表的大陸，哪有甚麼公平討論的平臺，只有單方發聲的高臺。趙剛文章只是在妝點出一個「學術討論繁榮」的假象來。「被批評者」的被迫噤聲，其實也令「批評者」之無的放矢，幾近荒誕。我們倒是從小見慣，見怪不怪，不談甚麼「批評」，只稱其為「批判臺」。見趙剛獨自站在這個高臺上，我還有甚麼可說的，只能遙祝他有一個好心情。

這是在寫作此文時，已經可以預想到的局面，也是我當初寫〈心有壁壘 不見橋樑〉的理由之一。雖然，以這樣的理由寫作，多多少少有點悲哀。

是為記。

寫於二零零六年六月六日

## 附編按：

二零零五年五月二十五日〈你不能不知道的臺灣——觀連宋訪大陸有感〉一文同步刊出於臺北中國時報、北京中國青年報之後，引發華人世界一連串的討論與迴響。隨即於二零零五年六月出刊的《臺灣社會研究季刊》第五十八期的編輯室報告，刊登由東海大學社會系趙剛教授所撰〈和解的壁壘：評龍應台的「你不能不知道的臺灣：觀連宋訪大陸有感」〉。向例該刊之編輯室報告係報導臺社重要活動與當期刊物重點文章導讀引介，〈和解〉一文實為創例之舉，文末趙剛教授特別說明：「本期編按因為主編徐進鈺在編輯一切就緒，準備出刊前，身體違和，因恐耽誤出刊，而囑本人代為撰寫編按，並建議或許可就近來的時勢發展作評論，因此有了此一不規格編按。」。〈你不能不知道的臺灣〉在臺灣知識界所引發的回應與重視程度，可見一斑。

對於二零零五年年春，連戰與宋楚瑜相繼造訪大陸一事，趙剛教授從知識分子的立場提出了看法：「基本上，我們認為連宋的大陸行是重要的一步，有多重的意義。首先，這是解消冷戰架構的重要進步，國民黨與共產黨在相互對待上，走出內戰與冷戰的敵對思維，開始進行對話。這對於不僅是兩岸，也對區域和平做出了貢獻。其次，我們認為這不應僅僅是政黨之間和解的肇端，更是臺灣人民與中國人陸人民之間關於和平與溝通的共同需求的外在展現。……第三、儘管表面上二者都在技巧地操弄中國人身份修辭，但他們卻也弔詭地參與了由李登輝擔任首任工程師的國族打造工程，只不過今日是以中華民國之名行之。『中華民國』和『中華人民共和國』的老對立形式正以一種新的內容在進行。……但這樣一個國族打造的工程在全球地緣政治上將有何命運，則並不很清楚，也似乎另蘊危機，特別是當它牽連到美國和日本在兩岸敵對關係中的利益。冷戰的解除與再度冷戰化，是矛盾並存的兩種可能。」。

趙剛的觀點明顯將連宋造訪大陸的意義歷史化，並將之放置在冷戰架構消解後國際秩序的新起點，以及幾乎與此同時進行的臺灣島內依然持續變化中國族建構工程的架構裏。因此他着意分析在龍應台感性犀利的文字背後，所呈現的價值觀：「她如何理解臺灣，是深刻關連到她如何理解大陸，並關連到如何理解兩岸關係的。」，緊接着趙剛教授提出他的批評：「**冷戰時期美國的現代化意識形態形塑了龍女士理解臺灣（以及世界）的框架，並傲慢地用此一框架衡量中國大陸，這使得『中華民國』和『中華人民共和國』代表了兩種文明，之間有不可跨越的文化壁壘。這個冷戰的、現代化意識形態的心態結構，無論對兩岸的真正和解，或是臺灣社會內部的正義發展都是有害的。**（黑體加重為原文所示）」。

趙剛認為龍應台文章中「再現臺灣」的觀點，建立在一種進步的「歷史終結論」，並呈現了「庸俗化的實用主義民主觀」，不僅複製了冷戰與國共內戰時期的善惡二元對立觀點，更有可能因為過度強化臺灣的民主進步（相對於大陸），從而令讀者忽略了臺灣社會內部日益加深的貧富差距、對跨國遷移勞工的剝削與歧視以及經常性的而且被高度低估的失業率……等等依然亟待努力的社會改革工作。而在「美化」臺灣的同時，趙剛亦認為龍應台塑造出：非（或是）反自由主義、「極其嚴重的拆遷和土地剝削問題」、以及「『和平崛起』後面所隱藏的巨大的貧富不均」的中國想像。「對中國人民在近現代歷程中的各種努力、想像、理想、與實踐沒有一點同情，因此對於這些理想與實踐的失敗沒有一點共感，非僅如此，還逕行判決這些理想與實踐都是『大敘述』，從而都是反民主的。」從而歸結〈你不能不知道的臺灣〉：「真正問題所在，不是在修辭美文、不是在印象派寫作、不是在選擇性認識，而是書寫者到底要和讀者建立一種甚麼樣的關係？是要人們進入到妳所設定的情緒網罟裏，進行感動與認同消費呢？還是藉由對話，深化整體社會的理解、提問與批判能力？」

最終趙剛強調：「我們認為知識分子首先應當反省自身的狹隘在地本位，至少要致力對區域發言，以區域的批判知識分子自居。區域主義的左派（regionalist left）應是最起碼的立場。我們不同意於龍女士的，最終還是在於她雖然在區域間說話，但並沒有促進區域間的對話，反而以一種弔詭的修辭，增設了區域間的壁壘。」

（因篇幅所限，無法全文收錄趙剛教授全文，如欲覽讀全文請至《臺灣社會研究季刊》網站 http://www.bp.ntu.edu.tw/WebUsers/taishe/。本按如有誤解趙教授觀點，文責由編輯自負）

# 中國媒體遭寒流 《冰點》被停刊

## BBC中文網二零零六年一月二十五日

《中國青年報．冰點週刊》突然被勒令停刊整頓，原因是這份期刊發表了引起爭議的文章。就在此前不久，大膽敢言的《新京報》總編輯楊斌被解除職務。這些事件顯示，中國當局正在加強對媒體的控制。

《中國青年報．冰點週刊》自一九九四年創刊以來，刊登了大量反應社會現實，關注底層民生和抨擊腐敗等醜惡現象的文章，深受讀者歡迎。但是，《中國青年報》突然在星期二接到上方通知，被勒令停刊整頓。

有關《冰點》週刊被停刊整頓的原因，曾出現了不同的猜測。

有傳聞說，《冰點》被停刊是因為刊登了臺北前文化局長龍應台撰寫的文章，題目是〈你可能不瞭解臺灣〉。文章中有一段話說，民主是一種生活方式。

但是，會惹惱中共宣傳部門的東西有很多，記者編輯稍不小心就會觸雷。《冰點》週刊主編李大同向BBC證實了這次停刊的直接原因。

他說，「他們使用的藉口是我們在一月十一日發表中山大學教授袁偉時的文章。然後以這個為理由讓《冰點》停刊。」

* * * * *

## 臺灣《蘋果日報》兩岸國際版二零零六年一月二十八日

### 《冰點》主編擬告中宣部

【大陸中心／綜合報導】直屬中共共青團的《中國青年報》旗下《冰點》週刊遭勒令停刊事件持續發酵，該刊主編李大同繼前天發表公開信，痛斥中共中央宣傳部，並誓言抗爭到底後，昨已着手準備控告文件，預備在春節過後上訴中央紀律委員會，除控告中宣部作法違憲，也將要求《冰點》無條件復刊。

### 「正義在手」不怕危險

李大同昨接受《蘋果》電話專訪表示，冰點被迫停刊兩天來，他接到許多朋友和讀者的關切電話，很多人擔心他如此高調地挑戰中宣部，恐將帶來危險，但他一點都不怕，因為「真理正義在我手裏，見不得人的是他們」。李大同說：「中國社會之所以進步緩慢，是因為害怕的人太多了，自己嚇自己，其實中宣部沒那麼了不起！」

李大同表示，作為專業報人，他最不能接受的就是中宣部「將社會公器視為個人家產，認為可以隨意處置，結果造成中國輿論萬馬齊喑、死氣沉沉」。

* * * * *

## 新加坡《聯合早報》中國新聞二零零六年一月二十八日

### 無聲與失焦

春節前四天，龍應台在幾個城市報章上同步發表〈給胡錦濤先生的公開信：請用文明來說服我〉，向對岸政治領導人嗆聲；犀利的文字背後，有着臺灣知識分子沉重的痛心疾首。

全篇文章，我一字不漏認真看完。身為一個來自兩岸之外第三國度的國民，既須保持旁觀者的清醒看兩岸、又無法自持地投注過多感情。龍應台文章裏有一些我所認同的價值，所提到的權威體制也為我所熟悉。

然而，就在兩岸知識分子以及海外華人社群在網絡上為大陸《冰點》和臺灣《野火》而掀起激烈討論之際，臺灣島內滲透力最深的電子媒體，卻有着令人完全意想不到的反應。

當天，牽動臺灣電子媒體神經的，不是龍應台的真情真言，而是龍應台和馬英九之間的「龍馬心結」。

馬英九是怎麼扯進來的？因為龍應台的文章一開頭「很不巧地」以馬英九做了小引。她引述馬英九日前在國民黨青年團成立儀式上開了玩笑，期勉國青團也能像共青團一樣培養一個胡錦濤。龍應台認為馬英九開了個「最不及格的玩笑」，顯然不曾深刻思考過胡錦濤政權和體制，究竟是甚麼樣一種現象。由此切入正題。

一整個上午，有線電視媒體不亦樂乎都在炒着同一個「熱辣」新聞：龍應台「痛批」馬英九「玩笑不及格」，臺北市前文化局長公然「扛上」老長官！一堆記者追着問馬英九，龍前局長批評你呢。馬英九只好澄清：「我是為了強調重視年輕人才這麼說，並沒有讚揚共產黨的意思。」

還嫌不夠味兒嗎？媒體大費周章翻出檔案資料和畫面，追溯龍馬之間的淵源，從當年馬英九一出任臺北市長就大膽起用作家龍應台為文化局長，怎麼一路視龍局長為他「最敬重的女人」，到龍局長面對質詢時淚灑市議會而馬市長全力相挺的戲劇性畫面，反覆播放。一流的精彩政治肥皂劇，卻是全然失焦的新聞報導。

臺灣電視媒體，究竟怎麼了？當這塊土地的知識分子激情澎湃向世界闡述臺灣最本質最珍貴的價值，對對岸權威政權提出沉痛控訴的時候，臺灣媒體究竟為何選擇對文章的精神視而不見，卻把焦點放在微不足道的小引上？龍應台的重點不在國青團或「不及格的笑話」，重點更從來不在馬英九，臺灣媒體難道不明白嗎？

# 從《野火》到《冰點》

李大同　前《中國青年報・冰點周刊》主編

# 龍應台「輸了」

大陸民眾對於臺灣的民主化進程知道多少呢？不少人知道臺灣在上個世紀八十年代末期已經開放黨禁、報禁，已經開始全民投票選舉領導人和議員……網民津津樂道的，是電視裏出現的臺灣立法院裏議員們扭打成一團的場景，大加嘲笑。

總而言之，臺灣的真實情況在大陸民眾頭腦裏亦真亦幻，既被高度關注，也可說是一無所知。包括我們這些新聞人在內，也部份地存在這個問題。

這種狀況終於被打破，因為一次前所未有的訪問。

二零零五年四月底至五月初，臺灣國民黨主席連戰和親民黨主席宋楚瑜接踵訪問大陸，與中國共產黨總書記胡錦濤舉行會談，在大學公開演講、拜謁中山陵、回鄉祭祖……臺灣政治人物的一顰一笑、言談舉止，鮮明生動地出現在大陸電視熒屏上，往往長時間直播，再加上各種專題、評論，訪問進程纖毫畢顯。大陸媒體對這次訪問的報導，由國臺辦掌控，中宣部事前沒有任何禁令，基本完全放開。

這次訪問在大陸引起的關注和震動，可以說遠遠超過了美國總統訪華。我們密切關注着這次訪問，關注大陸民眾的真實反應。反應始料不及：臺灣兩位政黨領袖所到之處，民眾自發地表現出極大的歡迎，自發等待，自製橫幅，高喊「連哥」，小學生們齊聲朗誦「連爺爺，您回來了，您終於回來了」……本報攝影記者在現場拍到的兩主席回鄉的大量照片，讓我們瞠目結舌，當地農民群眾為一睹舊鄉親芳容，擁擠到幾乎要出人命的地步。

這是怎麼回事兒？國共兩黨是爭奪政權的死對頭，內戰塵埃落定後，兩岸都在傳媒和教育中互相妖魔化，幾十年固化下來的意識形態屏障，竟如此不禁一擊？竟被一次訪問輕鬆瓦解了？

在大陸知識界看來，連、宋大陸之行最精彩的一章，還是他們在北京大學講壇上的兩次公開演講。兩人都手無片紙，直面聽眾，旁徵博引，侃侃而談。兩人都有個人風格，演講綿裏藏針，既介紹臺灣進展，也含蓄批評大陸現狀——民主自由與均富，「大陸還有相當的空間來發展」。也許，對大陸一般百姓而言，僅僅對照大陸官員總是一副官腔地讀陳詞濫調的稿子，臺灣政治人物已經遠遠勝出。本報記者回來說，「連出租車司機都在誇他們講得好，看人家……」呵呵，不比不知道，一比嚇一跳。

問題在於，這個匪夷所思的開端意味着甚麼？國民黨亦主張「一中」，如果二零零八年在臺灣大選中奪回執政權，有沒有可能在某種程度上參與到大陸政治當中來？大陸的政治情勢會有甚麼變化？這些前景，現在說當然還太早，然而從此以後，臺灣將可能作為一個實際的政治要素影響中國大陸，是確定無疑的。媒體的責任，是儘快、儘量準確地讓大陸民眾瞭解一個真實的臺灣。

《冰點》開會討論選題，盧躍剛提出，借連、宋訪問大陸所開創的氛圍，繼續跟進。大家贊同。問題是怎麼跟？誰能恰如其分地寫出真實評析臺灣現狀的文章？開列出大陸有能力寫出此類文章的作者名單，我們都認為不理想，這些人雖然都是高手，但對臺灣難以說有真正的瞭解，很難說到位。最後，一個當然作者出現了——臺灣作家龍應台。不用說，她具備寫這類文章的一切必要條件。年初，她曾來中國青年報做過一次演講，演講過後，她專門到《冰點》編輯室來與我們聊了一會兒，很融洽。盧躍剛也是作家，由他來和龍應台聯繫。後來證明，上天彷彿刻意要讓《冰點》與龍應台會合。

向龍應台約稿的工作，由盧躍剛來承擔。開始很不順利，龍應台疑慮重重，根本不相信這樣的文章能夠在大陸發表。其間有個有趣的插曲，為了測試《冰點》邊界，她先發來一篇小文，評析連戰訪問陝西母校時，小學生們遵成人之命，朗誦「連爺爺，你回來啦……」的蹩腳而又諂媚的「詩」，臺灣媒體對之大為調侃的景象。她問「這能發表嗎？」我們承認，當然不能。「連這個小品都不行，那我還能寫甚麼呢？」這確實是一個讓我們難以回答的問題。

她根本不相信真實介紹臺灣的文章能夠在大陸發表，她在大陸媒體開有專欄，太瞭解媒體的政治禁忌了。經盧躍剛強力說服和動員，龍應台終於應承下來。

五月二十四日上班後，我們心情焦躁地等待龍應台傳來稿件。誰也不知道她會寫出甚麼，會不會被總編輯立即槍斃。為保險，我甚至準備好了備用稿件。

上午十點，接郵件，沒有；十一點，沒有；十二點，還沒來！直到下午一點多，來了！我的天哪！下載、轉換為簡體字，傳內部網，幾個編輯同時看，一起做出是否可能登出的判斷。一個一個看是來不及了。

第一節：京劇《紅燈記》在臺北

「過！」我大叫一聲，這一節沒有問題，非常巧妙的開題！

第二節：小溪潺潺　得來不易

這一節也還「湊合」，儘管「高行健」的名字，在大陸媒體從不提及。「過！」我喊出第二聲。

第三節：敍述的多版本。看完我猶豫了一下，還是嘟囔出「過」字。

再往下，這個「過」字，就怎麼也說不出口了。

臺灣人已經習慣生活在一個民主體制裏。民主體制落實在茶米油鹽的生活中，是這個意思：

他的政府大樓，是開放的，門口沒有衛兵檢查他的證件。他進出政府大樓，猶如進出一個購物商場。他去辦一個手續，申請一個文件，蓋幾個章，一路上通行無阻。拿了號碼就等，不會有人插隊。輪到他時，公務員不會給他臉色看或刁難他。辦好了事情，他還可以在政府大樓裏逛一下書店，喝一杯咖啡。咖啡和點心由智障的青年端來，政府規定每一個機關要聘足某一個比例的身心殘障者。坐在中庭喝咖啡時，可能剛好看見市長走過，他可以奔過去，當場要一個簽名。

如果他在市政府辦事等得太久，或者公務員態度不好，四年後，他可能會把選票投給另一個市長候選人。

……

好傢伙，中宣部看到這些描述會說甚麼？

及至看完全文，我們都已明白，這是一篇上佳的文章，如果得以刊發，必將在中國新聞史上留下一筆，也會在兩岸關係史上留下一筆。這也是一篇政治風險極大的介紹臺灣真相的文章，文章的「針對性」不言而喻。通篇環環相扣，幾乎不可能靠技術手段來規避、減弱風險，因此，這篇文章只有兩個前景：要麼沒有任何餘地被槍斃；要麼基本全文發表。如果作較大刪節，刪到「安全」的界綫之內，就沒有任何價值了——我們不能答應，龍應台更不會答應。

時間已經非常緊張，我決定立即上版出清樣，然後再與總編輯理論。自然，必要的刪節也得有，我小心翼翼地刪去了一句話，不過一百餘字，然後立即加寫編輯按語，強調：「交流和瞭解，相輔相成。兩岸隔絕了近六十年，臺灣人民需要詳盡、真切地瞭解大陸，大陸人民也同樣需要這樣去瞭解臺灣。」

清樣很快出來送分管總編輯。我們開始討論如何應對接下來的辯論，我們的理據必須非常有力，僅僅像往常那樣靠三寸不爛之舌論證「風險不大」是不行了，風險巨大是顯而易見的！最終，我們將辯論基點定為：「這篇文章，沒有超出連、宋在大陸直播的演講的言論尺度；龍應台是臺灣作家，言論尺度不應和大陸作者同等對待，應與連、宋保持相當。」

下午近五點，分管副總編輯陳小川拿着大樣走進《冰點》辦公室。我們一看，他已經簽上「付印」二字！哇，太出乎意料了，我們興奮地大叫起來。他說已經給李而亮看過，放行的理由是「沒有超出連、宋訪問大陸的言論尺度」，李而亮同意了，只刪了約一百字左右。「真是好文章！」他感嘆說。

「英雄所見略同呀！」我們又大叫起來。仔細看看刪了哪些文字，覺得無傷大雅。原標題〈你不能不知道的臺灣〉改為〈你可能不知道的臺灣〉，我們也贊同，留下點餘地比較好。

躍剛下樓去給龍應台打電話，告知她這個結果。此前躍剛曾與她打賭，發不出來，《冰點》請她吃飯；發出來，她請《冰點》吃飯。她輸了！竟然輸了！

五月二十五日，海峽兩岸同時發表了這篇文章。臺灣《中國時報》在編者按語裏聲明，這是龍應台應北京《中國青年報》之約寫的文章，本報予以「轉載」——《中國時報》同行不掠他人之美，極具職業風範。

當天早上，《中國青年報》駐美國記者翁翔在華盛頓上網瀏覽，在臺灣《中國時報》上看到這篇文章，注意到是「轉載」本報的，根本不敢相信，立即登錄本報網站，一看果然。他激動萬分，立即在本報內部網上發出公共留言：「我為本報能發表龍應台的文章自豪；我為是中國青年報記者而自豪！」

這篇文章在海峽兩岸引起的強烈反響和激烈辯論，至今餘波未了，在此不表。然而這篇力作一舉具有了進入中國新聞史的地位，沒人會有疑問。

我們太興奮了，文章發表當天上午，專門寫了一條留言發在報社公共留言上，感謝而亮和小川發表這篇力作的決定。中午吃飯時遇上而亮，又與他熱烈握手，簡直舉止失措！

其後半個多月，平安度過，沒有得到中宣部「閱評」。我們分析，這次連、宋訪問大陸的報導極其後續，大概由國臺辦「掌舵」，沒有中宣部甚麼事兒，因事關兩岸統一大局，那邊是言論自由，這邊也不能差得太遠。這篇文章也許罕見地遇上了「天時地利人和」。

我們高興得太早了。該來的，早晚要來。六月七日，中宣部二六三期《新聞閱評》終於發出：

**如此宣揚臺灣民主自由的文章不宜刊登**

中國青年報五月二十五日《冰點》週刊刊登特約臺灣籍作家龍應台撰寫的專文《你可能不知道的臺灣——觀連宋訪大陸有感》。這篇文章講到了臺灣同胞迫切要求瞭解內地大陸的心情，也有動人之處。但文章中多處竭力宣揚臺灣的所謂民主政治，我們的報紙拿出這麼大篇幅登這樣的文章，令人匪夷所思。

……專文說，「對於有些人，歷史的切身認知是，日本人對臺灣的統治比國民黨的統治還要文明些。日本總督再怎麼霸道，畢竟還受母體社會日本的法治所規範，而當時的日本是一個已經經過明治維新洗禮的現代化國家。」

專文說，臺灣人從頭到尾就不曾覺得自己是中華人民共和國的一部份。受過日本統治的臺灣人固然被歷史歸位為日本國民，一九四九年渡海到臺灣的則是徹底的「民國人」。

……龍應台的文章極力宣揚今日臺灣的民主、自由、均富，這與人們看到的臺灣現實並不一致。文章說甚麼日本在臺灣的統治受「法制規範」，受過日本統治的臺灣人「被歷史歸位為日本國民」，更是近乎胡說。文章還大肆讚揚獲二零零零年諾貝爾文學獎的高行健。高行健一九八七年從中國出走，流亡法國入籍法國。他獲諾貝爾文學獎一事表明，諾貝爾文學獎是被用來為別有用心的政治目的服務的。我們的媒體不宜組織刊發龍應台這樣的文章。它可能產生的一個後果是對廣大讀者的嚴重誤導。（新聞閱評小組）

李而亮告訴我，上面對這篇文章極為惱火，中宣部部長劉雲山將團中央第一書記周強叫去，嚴厲指責這篇文章「處處針對共產黨」……

## 又是龍應台，我×

風波過去，算是有驚無險，《冰點》介紹臺灣的計劃不應終止。我請龍應台再次「起動」，先從風險較小的題目開始，持之以恆，爭取一個月在《冰點》發表一篇，兩年左右，可以匯成一本大陸版《野火集》。應台同意「一試」。

二零零五年十月十九日和十月二十六日，《冰點》以連續兩個整版，刊登了龍應台〈文化是甚麼？〉上下篇。這篇長文的指向性很明顯，針對的是大陸經濟迅猛發展，文化卻日漸雕零的嚴酷現狀。將老街道、老胡同、老房子、老字號店舖一掃而光，代之以金碧輝煌的高樓大廈、設施豪華的電影院、歌劇院，仿古的「唐城」、「宋街」，這些是文化嗎？……

除政治體制這個根本要素外，一個重要的原因，在於大陸官員普遍不懂得甚麼是文化。一九四九年以後的大陸教育，將一代又一代人固化培養成「螺絲釘」，黨需要把你擰在哪裏，你就去哪裏，這種教育制度培養出來的人，只有充滿功利的短期追求的「工匠」，哪裏會產生具有深遠人文思考的通識人才呢？

龍應台的這篇長文，主要目的就是要給大陸官員一些起碼的文化意識啓蒙，她用優美和通俗的語言，告訴官員們甚麼是「文化政策」……

文章正在拼版，李而亮路過照排上位，見到《冰點》版式編輯胡建，隨口問了一句：「明天的大冰點是甚麼？」胡建回答：「龍應台的文章。」而亮聽後不禁大叫起來：「怎麼又是龍應台？！」看來上次的風波仍讓他餘悸未消。

「文章怎麼樣？」他問我。「好文章呀！」我大聲讚嘆。他轉身出去，嘴裏卻不由得嘟囔出「我×！」二字。看來我們說「好」，在他那裏就意味着要惹大麻煩。我們實在忍不住大笑起來。

文章發表了，確實起到了啓蒙大陸官員的作用。本報雲南記者站看到此文，立即打印成大字本，送雲南省分管文化的省委副書記參閱，大受好評，這位書記囑本報記者站今後如再有這樣的好文章，照此辦理。

## 胡錦濤甚麼時候三鞠躬……

時隔不久，大陸一些網站報導了臺灣國民黨主席馬英九，今年先後三次向上世紀五十年代

「白色恐怖」時期遭到迫害和虐殺的左翼志士仁人道歉的新聞，這其中，也包括被殺害的數千共產黨人。進一步研究此事的背景資料時，我發現龍應台在任臺北市文化局長期間，曾主辦過一個被殺害的共產黨人的展覽，臺北市長馬英九專程為展覽揭幕。圖片資料中，當時赴刑場的男女共產黨人，個個從容淡定，視死如歸。此事讓我受到極大震撼。

究竟是甚麼原因，可以使昔日誓不兩立、在戰場上廝殺的仇敵，開始反省自己的所作所為，並向敵人道歉呢？毫無疑問，是民主制度的發展，是人權理念的深入人心！臺灣政壇的這種變化，難道對大陸的政治發展沒有警示和示範作用嗎？在一九四九年以後大陸的歷次鎮壓中，死了多少人呢？僅因瘋狂的「大躍進」造成的「三年困難時期」，就餓死了三千多萬人，造成中國歷史上前所未有的大饑荒慘劇。執政黨可曾有人為此道過歉呢？「不要糾纏歷史舊賬」，是大陸政治的一句熟語，而為甚麼在民主制度下，總是翻來覆去地在檢討「歷史舊賬」呢？這些都是必須要回答的問題。

我立刻約請龍應台寫出這篇文章。理由再有力不過了，龍應台根本無法推辭：「誰讓你舉辦這次展覽的！」

在臺灣民進黨執政期間，舉辦這樣一個追思被虐殺的共產黨人的展覽，需要多大的勇氣！當事人徐宗懋在《亞洲週刊》發表文章說：「二零零零年，我向臺北市文化局局長龍應台提到此事，把照片給她看，最後決定以文化局的名義在『二・二八』紀念館的地下展廳舉行特展。

這是一項極為勇敢的決定。臺灣社會還沒有成熟到能客觀看待不同政治顏色的獻身者的程度，在長達五十年滴水不漏的反共教育後，把共產黨員以正面形象展示出來，無論其中強調何種人權或人道思想，結果都不可能是風平浪靜的。」

展覽開幕後，民眾反應熱烈，但是攻訐果然如排山倒海而來。龍應台被稱為「劊子手」、「加害者」、「文化希特勒」、「共產黨的同路人」……

龍應台冷眼相對：「我其實只是不相信，人權應該以政治立場來區隔。國民黨、共產黨、民進黨、他媽的黨，如果人的尊嚴不是你的核心價值，如果你容許人權由權力來界定，那麼你不過是我唾棄的對象而已。不必嚇我。」

在文章結尾處，龍應台回答了我的問題：

馬英九背起國民黨的十字架，向歷史懺悔，是一個重要的象徵，但卻不是孤立的、獨特突發的事件，而是臺灣民主道路上標誌里程的眾多指路牌之一。他的深深一鞠躬，透露的不僅只是國民黨的內在改變，最核心的驅動力，其實在於臺灣的民主，造成了臺灣整體的深層質變。

沒有民主，不會有馬英九的鞠躬。

上帝呀，這樣一篇文章能夠發出來嗎？舉凡大陸媒體人士，都會一致認為這是一篇具有高度政治風險的文章。我一面讚嘆「好文」，一面考慮與總編輯的辯論理由。理由很好找，「這是國民黨向共產黨認罪呀！」

結果讓我震驚，而亮竟一字未動「付印」。送他審閱前，我還猶豫了一下，要不要把「他媽的黨」這樣的刺激性字句先刪掉，最後決定還是讓李而亮自己刪。可是他不刪！

直到兩個月後《冰點》停刊事件前夕，而亮才告訴我，這篇報導也受到上面的批評。「為甚麼？這是國民黨向共產黨賠禮道歉呀！」我佯裝不解。而亮苦笑：「是啊，可他們說，網上到處都在說：**胡錦濤甚麼時候三鞠躬……**」

二零零六年四月五日，北京

# 一個人的筆記

龍應台

LE：

窗外正雷雨交加，海上的風猛烈地吹，閃電照亮整個海面，像颱風，我想是給你寫封長信的好時刻。

對你的邀稿，我曾經兩度想「脫逃」：一次說，「時間太少」，一次說，「反正刊不出，何必浪費。」

是你這一封信，使我無法逃避：「……我說這些，不是想拉着你跟我們一起參與到大陸意識形態管制與突破的遊戲中來（其實，你已經參與了遊戲，你在大陸新聞媒體的專欄文章和出版的書籍便是明證）。這有點像賭博。讓一個呼吸着自由空氣的作家參與可能勞作而沒有收成的賭博，多少有點殘忍。我們賭博，不能要求你也來參與賭博，但是，我想，我們能邀請你這位海峽兩岸歷史與現實的知情者，一起來推動歷史進步。

我們面對海峽兩岸百年未有之大變局，經過綜合考慮，選中了你，因為你是知道限制並且能超越限制進行寫作的作家，你的作品完全可能在限度以內又不失水準地在大陸發表。換大陸的作家和學者，再好也不能替代臺灣視角。」

我逃不掉，因為你說的全是事實。我回信，只說「明白了」；是明白了，但是怎麼辦，我不知道，因為其他非常急迫的事情等着我做，手上有好幾篇比較「重大」的文章截稿期都到了。我怎麼辦？

所以自從寫了「明白了」那一刻起，我就夜夜失眠，因為手邊的工作要一樣一樣解決，而心裏擱着要為「中青」寫的這篇文章，一篇我知道，可能後果很「嚴重」、高難度的文章。對於太難的事情，我就拖，拖到最後一秒，拖到就要碰壁撞牆的那一瞬間。

是的，基本上，我知道共產黨是怎麼「處理」臺灣的——他讓大陸人知道甚麼，又隱藏甚麼；我大致也知道他為甚麼強調某些東西又遮掩某些東西。對於我的挑戰是，在內容上，要做甚麼樣的取捨？哪些是真正關鍵的，在「這個階段」、「這個時機」關鍵的？在表現形式上，用甚麼語言，甚麼文體，才能把意涵穿透到那個對你既不瞭解又充滿成見的對方心裏？最後，怎麼寫，才能寫到極限的極限，卻又不超過連宋講稿已經畫出的那條綫？怎麼佈局，才是最最溫柔的最最顛覆？

是在這樣的思路下，我決定把連宋的講稿放到最後，從大陸人熟悉的《紅燈記》開始，從「脆弱」的老人家說起。

至於文章內其他的：譬如為甚麼把高行健寫進去，為甚麼把日本人寫進去，為甚麼用「茶米油鹽」的實例作為落腳點……你們一定冰雪般地明白，我就不說了。

應該說，連續不眠不休地寫了二十四小時吧？中間還有給孩子做飯，說話——清潔的阿姨來吸塵，吵得我頭暈，大叫「別吸了求求你我要寫文章……」，還有在清晨三時實在撐不住了，就去躺下來聽海。

這篇文章的作者，我，處境的尷尬你卻不會明白。我試着說給你聽，其實也就趁着說給你聽，自己也釐個清楚。

你知道嗎？這篇文章，大部份的臺灣人是看不「懂」的。因為在這些年的政治氣氛下，人們平常不關心大陸，因此不知道大陸的禁忌是些甚麼；大陸關於臺灣的報導和論述，甚麼是准許的，甚麼是禁止的，甚麼是嚴厲禁止的，甚麼是官方大肆宣傳的，故意扭曲的，人們都不知道。當這些都不知道的時候，你說，他怎麼看得懂貫穿這篇文章裏埋藏的大大小小的「機關」呢？

包括知識分子，關心大陸的都不多。除非專門研究大陸，一般知識分子也不會知道大陸官方對自由主義的態度，不清楚「自由主義知識分子」與「新左」之間極其複雜、吊詭的矛盾關係，不清楚大陸貧富不均的嚴重狀況，不清楚大陸的土地炒作和農民處境，也不清楚大陸結構和制度上的問題……因此，即使是知識分子，可能也不會體會這篇文章對大陸的意義所在。

我不是說我特別懂。但是，我不知道那傷和潰瘍有多深，可我知道傷痕和疤痕在哪裏。

另一個尷尬是，很多臺灣人，包括社會菁英，對臺灣的民主實踐，尤其是民進黨執政後的實踐，是深深失望、極端厭惡的。我自己也是。但是，為大陸的歷史進程寫這些文章的時候，我的語境必須是大陸的語境，我的對話與說服對象是大陸的讀者，我要「對付」、要突出「反差」的是大陸眼前的政治和社會現實，因此勢必要把臺灣放在比較宏觀的歷史流程圖上來談。這時，不甚瞭解大陸現狀的臺灣知識分子，就很容易跳起來指控我「美化」了臺灣民主，起而指責我「為甚麼不寫臺灣民主如何如何糟糕，如何惡劣，如何不足以做大陸的借鏡……」。

我就發現，我儼然陷入為自己辯解的窘境——我似乎得對我的同儕們解釋「大陸的語境」如何如何，大陸的目前「發展階段」如何如何，因此在這個平臺，或這個文章的意圖上，不是討論臺灣民主缺失的時候，那是屬於另一個層次的討論，另一個發展階段的問題。但是，我也發現，唉，對臺灣朋友或「敵人」解釋大陸，好累——我從哪兒說起啊？

更何況，投鼠忌器，我能把話說出來嗎？

大陸的知識分子，你們，不會知道，在我背後，是這樣一個不怎麼「溫暖」的「同胞」讀者結構。

你說，連宋的演講，大陸沒有一篇深刻的討論。你知道嗎，LE，在臺灣，大部份的人連連宋講了甚麼都不知道，更別說討論或批評他們的演講內容。從頭到尾，充斥媒體的討論全部都停在「花絮」和「鬥爭手段」的層次：連方瑀有花粉熱和她帶了多少隻名牌皮箱；陳水扁在甚麼時機罵了甚麼人，用的是甚麼策略……沒有人在乎連宋的演講內容。

庸俗化、瑣碎化，正是臺灣民主走到的瓶頸。擺脫了「大敍述」之後，「小敍述」也同時在不經思索地轉化為「碎敍述」或根本失語的「無敍述」——這，又是另一個複雜問題的開端了。

開始時不願為你們寫稿，一方面固然是因為，積了這麼長時間和大陸互動的經驗，我太知道你們的局限了，另一方面卻和我背後這個臺灣心態和「語境」有關：我覺得……嗯，挺孤單，挺沒意思的。

不管怎麼樣，我要謝謝你「強迫」我寫了文章。，但是，與其說我文章寫得好，不如說，是你們的堅毅勇敢在啟動歷史。只是，怎麼所有的情境，那麼像二十年前寫《野火》？好像歷史在跟我開一個黑色的玩笑。而回想從前的，還不只我，讀下面清龍和我的對話，你就知道。這兩岸的歷史，是一前一後，相傍而行的。有時差，卻沒有本質的差別。

而且，我將繼續為你們擔心。

**應台**

二零零五年五月二十六日

* * * * *

From: Lung Yingtai
To: 台北《中國時報》總編輯黃清龍
Sent: Thursday, May 26, 2005 7:12 PM
Subject: 極為不安

**清龍，**

我相信你和我一樣關心大陸的發展。但是你一定也理解我的不安心情：我覺得，事情才剛開始，他們是非常可能仍是要面臨「後果」的。老實說，我蠻悲觀；我不覺得他們能夠完全「安然」度過這次文字「起義」，只是時候未到。我希望我是錯的。

應台

* * * * *

From: 黃清龍
To: Lung Ying Tai
Sent: Thursday, May 26, 2005 10:17 PM
Subject: Re: 極為不安

**應台：**

感覺很熟悉，像極了當年大家在稿子裏埋地雷，警總找麻煩、調查局來約談的情景。

我聽余紀忠先生說過，民進黨成立那天（一九八六年），《中國時報》決定在二版大幅刊出這個消息，並發表社論。當晚他在辦公室看稿，中央黨部已經知道這事，秘書長馬樹禮連打了幾次電話找他，他都沒接，稿子發打之後他人就消失了（到朋友家）。隔天馬樹禮怪他，但那已是後話。新聞已經見報，新政黨得到輿論庇護，臺灣的民主又向前走了一大步。

這段歷史，即使經過了十幾年，偶而和謝長廷、蘇貞昌、游錫堃甚至陳水扁談起，他們都承認當時如果不是「中時」力挺，國民黨可能抓人，民進黨可能夭折，他們都很感念余先生的貢獻（至於彼此的國家意識分歧，那又是另一回事了）。

我不知道《冰點》諸君子會不會有事，但很欣賞他們的氣魄！

清龍

* * * * *

## 北京ＧＫ致應台

應台：

很多人用手機在傳你的長文，可見影響之廣。

學術界的朋友說，「龍文頗有新五四第一聲的味道。」此文意義不在「兩岸關係」，而在於，它極其「狡猾」地理清了個人跟國家的關係，把抽象的「民主科學」概念還原到柴米油鹽的百姓日常生活，使每個人都覺得：我明白了。原來民主是這個意思。

ＧＫ

二零零五年五月二十八日

* * * * *

## 一個歷史學家的來函

應台兄：

昨夜剛從北京回來。在京見到了LE，知道了你們推出這篇文章的過程。也聽說你有點鬱悶。

我和幾個有相同志趣的朋友議論了此事。我們曾經推出過憲政這一話題，也曾經發起過二零零四年的公民維權，試圖從這兩個切口入手，打破政治體制改革的沉寂。從去年下半年以來，這兩個話題都處於被封殺狀態，下一個切口在哪裏？一時還找不到。一九九七年前後，我們關注過香港，希望香港的法治和自由多少能帶動一點大陸。此後的事態打破了我們這一希望。那時臺灣還遠，還因為兩岸軍事對峙危機不斷，縱然臺灣積累了民主轉型的經驗，也無法在大陸破題。

此前此後當然有臺灣知識分子的思想登陸，但他們被後現代思潮牽着走，登陸的是批判新自由主義的後現代思潮，而不是最為緊要的臺灣民主經驗。在他們眼裏，臺灣只有臺獨分裂，沒有民主經驗。大陸知識分子與他們談臺灣民主轉型，他們報之於輕薄的眼光，我本人就遭遇過。他們自以為是超前大陸知識界一步，但他們沒有想到如此思想登陸，客觀效果其實是與大陸意識形態管理者封殺臺灣民主經驗、批判新自由主義的逆流合在一起。

就在這個時候，連、宋訪問，一個談自由主義，一個談民主均富，此後又出現你的這篇文章擴大連宋訪問的衝擊，從統戰擴大為臺灣民主經驗在大陸的主流媒體公然登陸！這是五十年來沒有過的事，也許這正是大陸自由知識分子最需要的第三個切入口？這是對我們最好最及時的援助。臺灣的民主經驗再也不是孤懸海外，它一下子拉到了眼前，離我們這麼近，比香港還要近！

你們不要低估了這篇文章的爆炸性意義，千萬不要因為網上兩岸憤青的叫罵而陷入苦悶、沉鬱。此事已經進入歷史，歷史會記住你們在這個關鍵時刻，給這個民族貢獻了甚麼。

LE說，當時他們選擇此文作者，想到過你和另外兩位大陸作者（其中包括我）。我告訴他們：這篇文章我絕對寫不成，另一位也寫不成，只有龍應台能寫，不僅如此，大陸十三億人，臺灣二千萬人，也就只有一個作者，那就是龍應台。大陸知識分子即使關注臺灣民主，沒有感性經驗；臺灣知識分子即使屬自由主義者，也被臺獨問題拉向了相反方向；只有龍應台一人既有感性經驗，又在為臺灣民主辯護與抵制臺獨之間保持了難能可貴的平衡。歷史有時就這樣吝嗇，一件改變歷史的事件，也就一個人合適，有這個人就有這件事，這個人不在，就算她是小女子，就算她是小敘述，任何第二者都無法代替。

網上那些叫罵不意外。一旦牽涉到臺灣，這一特殊話題要攪起多少中國人的非理性情緒？就目前的反應來看，大部份網民的反映比我意料得好。至於另一部份人的辱罵，你們不出這篇文章，他們也在罵，辱罵而不是討論本來就是他們的生活方式。中國人被狼奶灌輸了一個世紀，剩有一些非人性的嗥叫，很正常。千萬不要期望一篇文章能引起一致叫好，這樣的時代大陸八零年代曾經有過，那是青春期現象，已經過去了。從某種意義上說，也是好事。至少說明時代在進步，輿論一律不僅在官方是幻想，在民間也在逐漸成為奢望。眾聲喧嘩的時代已經來臨，這就是民主來臨的前奏，我們應以從容而不是意外的心態迎接它。

你們在謊言大幕上撕開了一個裂口，一個大大的裂口。LE所言百年之變局，也許還真是從這裏開始？感謝你們！

ZHU

二零零五年五月三十一日

＊　＊　＊　＊　＊

**清龍致應台**

**應台：**

那位歷史學家的信，叫人看了豈只悲涼，還有一種漫漫長夜何時過的無奈，但不能就此失去信心。

今天忙着處理水門案深喉嚨現身的新聞，雖然已是卅年前的事，仍然極具震撼性。美國的政治因此事、此人而改寫，媒體的角色也因此事件而改觀，歷史往往就是從某些偶發的事而改變。共勉之！

**清龍**

二零零五年六月一日

* * * * *

袁偉時致應台

Subject: Fw: 中青報冰點專刊

應台：

下面這消息在網絡上流傳，我希望這是一節假消息。但經驗告訴我這肯定是真的！讓歷史記住：中國的歷史是這些勇士們譜寫出來的。

偉時

二零零五年六月一日

——下面是轉發郵件——

哀悼：中青報冰點專刊因刊登龍應台雄文而停刊！

按：中國青年報的冰點專刊停刊了。停刊的原因是因為刊登了龍應台一篇酣暢淋漓的長文《你可能不知道的臺灣》。這篇文章同時也在臺灣《中國時報》刊登，但題目改了一個字：《你不能不知道的臺灣》。總之，在這個國家，容不下一個誠實的媒體。龍應台長文裏，最發人深省的是其中一段，民主是一種生活方式。這個敘述角度把大陸和臺灣的鴻溝清晰地袒露出來——這個鴻溝是如此的深刻，從《中國青年報·冰點專刊》因這篇文章而被叫停，我們相比文明社會已經野蠻、顢頇和敗壞很遠了。

＊ ＊ ＊ ＊ ＊

**偉時，**

聽說消息是假的。

但願它不會有一天變成真的。

**應台**

二零零五年六月二日

# 我寧可選擇文明：論陳映真和他的中國

李弘祺　紐約市立大學歷史系教授

登於《當代》二零零六年四月號二二四期

龍應台女士的〈請用文明來說服我〉登出來以後，我很高興，本來就想寫一些感想來申述她的看法。這兩天又在美國的《世界日報》看到了陳映真先生對龍應台這篇文章的批判，使得我深深覺得不可以再保持緘默。兩位都是我很喜歡讀的作家，尤其，陳映真先生，我還在大學讀書時，就已經聽過他演講，想起來，整整四十年了。像這樣重要的討論，學習歷史的我當然不可以缺席，也算是對這四十年的心路歷程作一個交待吧！

## 文明與野蠻的辯證：帶有野蠻的文明和帶有文明的野蠻

自從現代化理論被質疑以後，大家都可以振振有詞地說：我們的傳統就是我們所應該尊重的生活原則。我們的信念，就是我們能勇敢地立足於世界、氣吞長江水的基礎。後現代了，民族主義於是就有了它不用建築在現代理性上面的理論基礎了。

陳映真先生的歷史辯證法就是拿美國所作出的種種令人失望的國際行為，來批判他所謂的西方基督教文明，認為她並不代表甚麼「文明」。的確，美國不能代表文明。文明固然令人神往，而我們更希望世界上真的能找到公義、仁愛、平等、和身心完全自由的國家。顯然的，美國不僅沒有達到這些理想，事實上，美國在國際政治舞臺上的表現非常令人失望。於是，美國就是野蠻了！這是陳先生的辯證。

辯證的歷史應該是一種嘆息：人無法掌握歷史真實的本身，因此只好用「對中有錯、錯中有對」的吊詭語詞來自我解嘲。辯證的真義就在於此。說真的，陳映真先生所宣稱的文明與野蠻的辯證，歸根究底，不外是：文明中有野蠻、野蠻中有文明罷了。如果如此，我要的是甚麼？是不是比較文明一點的？

## 美國的民主、媒體與所謂的基督教文明

陳先生對美國的種種指控，顯出他想要用真理來克服「辯證」的努力。舉一個簡單的例子，陳先生總是把西方（特別是美國）的決策或行為說是基督教文明的產物。試問，今天美國文化是基督教文化嗎？出版那褻瀆伊斯蘭教主的丹麥卡通畫家和報紙的主編是基督徒嗎？他們甚至於可以說是受了基督教的影響嗎？陳先生對基督教的教義和西方國家的現代文明之間的種種揣測和說辭，不免令人覺得他對當前西方社會和思潮太過隔閡了。

丹麥畫家的卡通引起全世界伊斯蘭教徒的公憤，的確值得我們深入反思。我每天看報紙，讀連日的抗議和遊行的報導，真難想像為甚麼事情會演變成這個樣子。但是我不禁也想起這二、三十年來，西方基督教徒所必須承擔的類似的種種考驗，甚至於攻擊、褻瀆。季步生（Mel Gibson）前一陣子所拍的《基督受難記》的電影所遭遇美國主流社會的批判，就是一個活生生

的例子。但是，基督教會除了鼓勵大家盡量去看這場電影之外，沒有任何向主流媒體或好來塢的電影大亨發動示威的舉動。更早一些日子，紐約布魯克林博物館展覽了一個菲洲（但是籍屬英國）畫家的聖母像，畫布上面沾滿了牛糞，用來表示他對天主的母親的觀感。我們就沒有聽說甚麼人到博物館去示威遊行的。當時的紐約市長是一位天主教徒，為了爭取擁護他的選民的同情，下令博物館不許展出這幅畫。但是博物館根本不理會市長的命令，對市長要停止撥款的威脅也置之不理，照樣展出。於是，這件事就此落幕。不久，市長換了，也再沒有人問起，是不是還有市政府的撥款？比諸穆斯林的示威、抗議，乃至破壞，不知道這裏頭野蠻和文明的分際究竟在哪裏？

美國當代知名的基督教思想家諾爾（Mark Noll）在闡述美國基督新教和天主教（兩者都屬基督宗教）之間的關係時，說：基督新教是一個不斷在改變自己，犧牲自己，甚至取消自己的宗教信仰。這話是面對不可逃避的現實時，拿現實來闡釋（或說克服）教義的話。我上面說今天美國的思潮已經不再是基督教所壟斷，意義就在於此。從辯證的觀點來看，今天美國的許多國際行為已經和基督教的倫理有了很大的距離了。

但是更重要的就是陳先生無法了解一個沒有中心指導思想、價值多元的社會，而總以為民主國家也有它的「集體行為」。在中國文化下成長的人們，的確很難想象甚麼是多元的價值，更難以了解多元社會是如何運作的。美國政府的政策和行為必須放在一個能不斷進行自我反省、自我批判的體制脈絡裏來加以敍述。也就是說，美國國家政策的形成、以及國家行為的運作是多元價值在法制裏頭、激烈競爭發展出來的。有時它代表的是決策當時的利害玫量，但有時它又代表對真理的嚮往和堅持。美國任何的國家行動都不是一個人或一小撮人所能支配的。美國憲法所創造出來的機制，使美國社會必須定期作出批判、檢驗或甚至於反省。這樣的一個機制纔是美國「文明」最重要的精髓。美國因此不是只有一個；她是一個不斷根據歷史的進展和需要而調適她自己信念的共同體。這個體制，我們叫做「民主」。換句話說，美國沒有「集體行為」；她只有多數的決定。就是在二次大戰達到最高潮，一船船的年輕人被送往歐洲戰場打仗的日子，在美國，也還是有很多人寫文章反對干預美洲以外的事務。

陳先生舉了許多美國對媒體控制的例子。是的，美國的確有許多人，特別是當前主政的共和黨領袖們，他們對主流媒體非常不滿，時刻想要反駁或操控新聞和言論。由於苦無全盤的對策，所以只好自家在國防部裏，設立一個臨時機構，拿一些公款來散佈他們認為真正值得刊登的消息。說真的，如果他們發佈的消息能令人感到興奮或有趣，而如果有報紙或媒體願意刊登，那麼民主黨或其他「公正」人士，也可能拿他們無可奈何。問題是他們包裝消息過分，這才受到激烈的攻擊，於是只好匆匆下幕，其期間不到兩年。這就是美國可愛、可佩的地方。陳先生引述這件事時，言之鑿鑿，而且說得出國防部那個散佈假消息（其實也不全是揑造）的單位，記得它的英文名字（我相信絕大部份的美國人都已經記不得了，我當然也不記得），這不免使我大驚，覺得陳先生一定是整天在關注這一類的消息，仔細收集有關的材料，好在來日需用的時候，可以提出來佐證。這不免令人心寒。我認為舉這一類的消息來證明美國政府是時刻在進行新聞檢查，干預媒體，未免深文周納。我相信還有更多可以讓我們批評美國媒體或政府的不是的東西，值得我們注意，而不必跟着這個政爭的花絮新聞起舞（陳先生說這個小組有力量限制外國媒體發佈不利於美國的消息，我覺得很奇怪）。

總之，重要的不在於美國政府作了多少錯事。重要的是它的政府結構使「壞事」通常只能做四年，頂多八年。美國入侵伊拉克，不覺已經超過三年。這件事現在看來，除了情報錯誤，誤判敵情，違背良心之外，更證明了它不符合美國的利益。我們同事相聚談到這樣的事時，都認為布希一下臺，美國就會結束這場戰爭。這就是美國民主的優點。想一想，中國政府領袖產生的辦法，到今天還是不能像民主國家一樣，還是缺乏嚴謹的程序（胡錦濤上任算是最合乎中共憲法的唯一一次），用英文講，就是在暗地裏相互算計（backroom maneuvers）。這樣的政府，不就是數十年而不改其威權作風和信念，不就是訴諸革命暴力，突然間把一切的價值一掃而空，使得人民無所適從。在這種情形之下，遭殃的當然是那些喜歡思想、努力思想、勇於思想的知識人。哀哉！中國的知識人！在美國，如果對當前的政權或領袖不滿，他盡可以到白宮前去叫罵，不然至少可以寄望於四年之後的選舉，或許屆時可以扳回一城，舒一口氣。比之於中國，這就是充滿野蠻行為的美國文明的地方。

# 文明與資本主義：正當化中國與馬克思主義

文明的觀念是辯證的，十分吊詭。甚麼是文明？臺灣比中國文明嗎？或許這纔是問題的所在。

事實上，文明不過是一個自我陶醉的圖騰罷了。在近代社會裏，文明變得特別的複雜，充滿了張力，因為我們實在不知道是文明在支配我們，還是我們果真能超越自己的文明。甚麼是我自己的文明？甚麼是真正的價值？這些都是必須不斷檢驗、反省的東西。

人類對文明的態度既愛之，又恨之，充滿了曖昧。文明所以可愛，因為它象徵一個社會共同擁抱的價值。於是文明看起來就顯得那麼的貼切、那麼的像我們自己，讓我們感到它簡直是在我們內心替我們歌唱、跳舞，替我們作無聲的禱告和嘆息。然而，文明是兩面都可以照人的照妖鏡。就像《紅樓夢》的賈瑞那面鏡子。正面看，真是可以顧自銷魂，硬是不願讓它把我們的真面目照出來。但是反過來看那鏡子時，果然，它讓人們越看越難過、越看越覺得自己實在醜惡不堪，難以入目。於是恨不得把它甩掉、把它拋棄、永遠不要再看到它。不，當老道士叫我們面對別的文明時，我們就擔心自己必死無疑。

因此，我們不喜歡看別的文明。我們只想看自己的文明。然而，在一個多元、民主的現代社會裏，文明不止一個，人們因此必須學習相互容忍。當社會包容了許多相互競爭的文明時，我們就進入了後現代的、壯麗新世界了。當人們醒來，警覺到再沒有任何一套價值可以當作我們的中心信仰時，我們一定會感到雖然我們活在一群人當中，但是我們是孤獨的、充滿不安定感的、自己必須對自己負責的、一個非常孤單的個人。今天的臺灣社會正就是這麼一個很多不同文明交錯、競爭的社會，臺灣雖然「擠、擠、擠」，可我們每一個人卻越來越像離群而索居的、孤零零的個人。

於是，許多人對中國生起了一種幻想。主要是想克服孤單的彷徨感覺。有些人因為中國本來就是他的文明，是哺乳他、孕育他的母親，是他生命意義的泉源，因此把中國當作是他的「神話」（小孩子聽了神話故事以後，覺得這個世界果真完美，自己活着也就有意義），更覺得臺灣因此也必須在中國統一的「歷史宿命」裏去找尋意義和「正當性」。這是一種感情境界的投射，美則美矣，但不是理性的選擇。至於有一些本來沒有甚麼中國文明的教養，不是拿中國當作神話的人，他們現在對中國也產生總總的幻想，這不外是因為他們覺得在大國的庇護下，比較容易找到安定與尊嚴，至少做生意賺錢、生活安定而富裕。許多人移民美國，不是為了美國的民主，而是為了她的安定和強人，其思慮非常明顯。

## 共同負擔世界經濟的繁榮

但是陳先生對於中國的感情還有另一個層面，那就是他對中國在彰顯世界公義理想的過程中所可以扮演的領袖角色，對這個，他有一種精神上的寄望，甚至於認為中國「早已經成世界和平、多極、平等、互惠發展模式與秩序的推動者」。這不外是來自他對馬克思的信仰。在全世界共產主義國家都垮臺了之後，只有中國反而能轉扶搖而直上，成為當今世界具有影響力的大國，這豈非證明了中國真正實踐了陳先生所信仰的純正的馬克思主義！

陳先生宗仰十九世紀馬克思的批判，對資本主義社會的弊端多所指陳。但是他的批判主要還是放在馬克思時代中產階級（陳先生作資產階級）和帝國主義興起的背景裏來論述資本累積的問題。中產階級所締造的資本社會，確在近代世界留下了許多不義的悲慘記錄。在倫敦貧民區租房子，天天以白麵包和水吃的馬克思當然有深深的體會。任何人讀十九世紀的雨果(Victor Hugo）作品，也一定能感同身受。

然而，今天的資本主義社會，已經從二十世紀的經驗中，逐漸開創了新的格局，在國家主導分配的體制下，創造出近於均富的社會：透過中央公積金（社會安全制度）、國家健康保險（美國到現在還做不到，為許多識者所不齒），和全球化等辦法來達成這個目標，甚至於已經造成了新的危機(例如社會安全可能會破產、而國家健康保險在歐洲也遇上了很多困難)。因此，陳先生把中國沒有興起中產階級作為中國開放前經濟政策的重大成就。在我看來，恐怕連俄羅斯的普廷總統聽到這話也會感到意外。或許整個世界只剩下今天的中國(更或許只有陳先生)會認為由國家節制的共產主義經濟是最好的制度。

代表資本主義的美國，其富有的程度不是沒有長期在那裏居住的人所可以想象的。按照馬克思的說法，這是透過累積的資本向外擴張，壓榨落後國家而得來的。但是，今天的情形不再完全是如此了。

美國的富有，實際上帶動了世界經濟的繁榮。但是美國外債高築，靠許多國家(中國領先)購買它的債券來維持這個繁榮，因此，我們可以說美國的富有實際上是由中國等國家(特別是亞洲的新興經濟體)來幫她維持的。這就是現代資本主義經濟體系的真相，也就是全球化的特色：大家糾纏在一起，誰也不敢抽身而出，已經沒有甚麼誰掠奪誰那樣簡單的二分現象了。所以說，底特律的汽車工人要示威反對輸入日本車子時，他們卻不知道究竟是要示威車子的那一部份，因為許多日本的零件都已經外包給美國的工人了。

現代資本主義和全球化的精髓因此就在於資本的不斷自由流動，造成了像中國這樣的國家突然在一夕之間興起。美國(以及先進資本主義國家，像德國或日本)沒有採用戒急用忍的政策，沒有限制美國資本家到中國投資，許多人還主張必須更積極地到外國製造零件、甚至於把服務業也外包。於是中國就在全球化的體系下，繁榮了起來。這樣子大量接受資本主義國家的投資，看在馬克思或列寧的眼裏，豈非矛盾到了極點？豈非是歡迎「帝國主義國家」的剩餘資本？不過，中國的繁榮必須和中國也須要對世界負責這樣的覺醒結合在一起，共同承擔世界經濟順利運作的責任。美國之所以在目前還能舉那麼大的外債，而世界各國仍然願意購買它的債券，其原因就是因為美國能以她強大的軍事力量和資源，以及相當安定的社會來承擔保證世界經濟繁榮的義務。

歸根究底，經濟和政治是分不開的。有一天，如果美國失去了這樣的能力和意志，而中國或其他國家又無法負起這樣的責任，那麼人類就要進入最漫長又最寒冷的冬天了！

中國的繁榮在很大的程度上，是拜現代資本主義之賜。陳先生口口聲聲以中國的崛起是「十二億中國人民靠自己的努力養活了自己」的結果。我很想問一問，究竟中國開始繁榮起來，是鄧小平的改革開放政策所賜，還是毛澤東的不斷革命論的結果！我想這一點，大家都知道它的答案，不用我多費唇舌。

## 多元的，民主的、講道理的真理態度

上面說，人類在宇宙演化的路途上行進，越走越形單影隻。人與人之間的關係越來越必須用一套法律來規範，不能再依賴共同的語言和習俗來作為交往的基礎，也無法再假定其他的人都與你有一樣的信仰。於是言論、思想的自由就越可貴，因為唯有通過社會契約，來界定合理合法的交流，並謙虛的相互忍讓，人們才能各自按照自己的信念生存下去，靜待將來真理的來臨。龍應台對胡錦濤的質問乃是因為中國老缺乏這樣的文明價值，但是陳先生似乎對民主有極大的反感，或至少對它並不放心。於是一而再、再而三地說中國文明絕對不比西方為差，甚麼聯合國教科文組織評比中國的歷史遺址和成就「不知有多少件」，甚麼「中國每年教出五、六十萬的工程師」等等這些毫不相關的事實。當然，這些成就是過去兩百年受盡苦難的中國今天所應該有的，很多人也都同意它們是中國值得自傲的進步。我至少願意為此而喝彩。但是這和中國人總是自以為擁有聖賢的永恒真理、無法面對現代世界的民主價值、強行要臺灣人（用陳先生的話說，是分裂民族）統一在中國的旗幟下的口號又有甚麼關係？

民主的價值在實現的過程當中一定會遇上種種的困擾、甚至於阻礙和橫逆。但是它的價值就是承認這些反對的聲音正足以讓民主的實踐更精密、更合情合理，在制度上得到不斷的批判和修正。

如果我們無法超越文明和信仰加給我們的枷鎖，無法克服狹隘的我執，那麼作為像中國這樣國家的領袖，他所可以加之於百姓的壓力，那將會是多麼的龐大和恐怖！而比這更恐怖的是：這樣的威權卻常常是用動人的道德言語來包裝，往往可以迷惑人到讓他們不知自覺。沒有強大的中產階級的「私領域」或反對黨來加以制衡，共產社會的生活當然就十分穩定、十分上軌道了。

今天的臺灣，中產階級逐漸崛起，這是可喜的現象，比起宗教團體的興盛，我寧可看見中產階級在法治和民主的制度下（雖然目前法規及制度都還很不完整）積極參與社會生活，創造更平均的分配，透過不斷的競爭和再投資，繁榮全體，並對無力參與競爭、或競爭失敗的人做出合理而同情的照顧。臺灣在這些方面的成績距離完美固然還很遠，但是至少我們看得出這樣的遠景。這就是民主社會參與現代資本主義經營方式的結果。

總之，文明的確是一個枷鎖，但是如果文明的生活是建築在民主和社會契約的價值上面，那麼，至少我們還可以看見一些亮光。文明更是兩面照的鏡子，但惟其如此，我們才能在日漸個體化、「每一個人本身都是一個文明」的後現代世界裏擁抱容忍、謙虛、正派的態度，好靜待面對面看見永恒的真理。

## 抽象與實踐的辯證；文明與野蠻的辯證

我寫得多了，應該快快結束。這裏只想加一個簡單的、但絕對是非常重要的反省：陳先生除了是馬克思的信徒之外，還是堅定的中國民族主義的苦行僧。兩樣東西結合在一起，使得他敢於質疑一些中國近代史上已經有了定論的解釋，特別是義和團這樣的問題。關於這一點，我固然願意接受說歷史的過去可以有天壤之別的不同解釋，它的系譜可以從極左到極右，不能勉強人們接受一定的看法。但是，歷史不外是人對自己的認同和對未來世界的憧憬，那麼，請問，陳先生對義和團的解釋是不是正好反映了他個人對人類文明未來的想象？

請問，義和團的智慧在哪裏？義和團的歷史任務在哪裏？義和團、李蓮英的中國世界是文明的，還是野蠻的？

最後，回來思考言論言論自由（文明）的本質和它的指標意義。我想，前《人民日報》的主編，胡績偉的說辭十分值得我們思考，他認為胡錦濤關閉了《冰點》是違憲的。可惜，中國共產黨是高於中國憲法的。所以胡績偉雖然勇於以九十高齡出來講話，但這不外只是狗吠火車，擺擺姿態而已。問題就是這個社會有沒有要朝向文明來努力，來當作是未來的願景的決心。中國國家這麼大，問題這麼多，我實在怎麼樣也無法像陳先生那麼樂觀。

總之，民主、自由、多元、謙虛、正派，這些正如陳先生所說，不能抽象來說它們，而是要放在生活的現實裏來驗證它們。這話說得好。最近教宗升了香港的主教為樞機主教，很多人都認為這是教宗要承認中國建交的動作，我絕對歡迎教宗這麼做，但是陳日君神父選擇同香港的大眾走上街頭，批判中國，這就使我十分的欽佩；不是因為他擁有真理，而是因為他勇於替人們爭取發言的空間。相同地，香港歸還中國以後，已經退休多年的陳方安生也於一月中走上了街頭，替香港人向中國爭取民主。他們的努力，就使得我對中國人抱懷希望。由此看來，非常吊詭地，也非常辯證地，就是有人相信這些抽象的價值，而且要實踐它們。

相比之下，我讀陳先生的文章，真是懷疑他究竟是在替中國文明爭取甚麼？我反復閱讀，心中不覺寒意襲人，一陣陣的，久久不能自已。

我捫心自問，野蠻和文明之間的關係固然是辯證的，但是，我必須選擇那帶有野蠻的文明。讓文明袪除野蠻吧！我不敢、更不願意向抗拒文明的野蠻靠攏。

二零零六年二月二十六日起草，三月三日完稿，三月二十五日再修訂，六月八至十二日再修訂並節要。

## 附

### 編按：

二零零六年一月二十四日黃昏，共青團所屬的北京中國青年報《冰點》週刊被勒令停刊。一月二十六日龍應台發表了《請用文明來說服我——給胡錦濤先生的公開信》，同步刊出於臺北中國時報、香港明報、吉隆坡星洲日報、美國世界日報。雖然時值農曆春節期間，依然如同以往，引發華人知識界的熱烈討論。

文壇前輩陳映真先生抱病撰寫《文明和野蠻的辯證》，發表於二月二十日聯合報副刊，陳先生不改一生堅持社會主義路線與民族統一的立場，再度強調：「分裂民族的統一，至少對我而言，是一個知識分子為了堅持其出生的尊嚴、知識的尊嚴和人格的尊嚴的原點，不能議價，不可買賣、不許交換的。」。同時希望「如果有機會引起深一層的討論，不但應該有益，也不辜負龍女士的文章所形成的廣泛的公共領域。」。

陳先生首先針對龍應台所批評的大陸經濟發展「貧富不均」的問題提出不同的看法，陳先生從左翼的史觀出發，認為「從一九九零年代初開展的大陸「改革開放」，由於超階級的國家政權的強大，在一九四九年大革命後，中國資產階級至今無法形成一個強大的社會階級，土地基本上屬於國有，而在中國工業資本形成過程中既存在如「三農問題」的嚴峻形勢，又在現實上因國家的政策干涉，很大程度上減輕和避免了西方國家的資本主義發展過程中殘酷、痛苦的原始積累（如英國的圈地運動、殖民地剝奪造成的殖民地貧困化、破產和痛苦），而完遂了沒有殖民主義擴張和侵略的積累。」。同時「十二億中國人民靠自己的努力養活了自己，沒有使自己成為世界其他民族、人民的負擔。而談到中國的大面積和大體積經濟崛起，中國已經成為世界經濟生長點的一部分。」，陳先生覺得龍應台或者是不熟悉，或者因對中國的刻板成見所蒙蔽，而不能給予大陸持平的意見。

談及龍應台所關切的「民主」與「言論自由」問題，陳先生認為「歷來『民主』、『自由』的論說往往被美麗的辭語抽象化和絕對化。」，而將「『自由』、『民主』和社會經濟條件參照起來看」時，在一九七零年代中期臺灣人均國民所得一千美元左右之際，臺灣內部所發生的「不民主」與箝制言論自由的政府行動，並不亞於一九九零年代同樣人均國民所得突破一千美元關口的中國大陸。而《冰點》事件所反應的言論出版控制問題，固然值得商榷。然而即便在自詡民主、自由的美國，陳先生引述民間組織「被檢查的議題」(Project Censored）的報告：「威脅美國新聞自由的勢力有幾個方面：一個是美國五角大廈和白宮的權力菁英，一個是鉅大資本的企業菁英。報告指出，政治、軍事和大跨國性資本在『新聞意識形態上的一致』，影響客觀公正的報導。」一，而這種「意識型態上的一致」，在國家安全與白人菁英階級的寡頭集體壟斷下，「選擇『新聞』、進行間接的、報導不足(under coverage)的、『事實上的檢查』(de facto censorship）」，同樣禁止了相關信息自由地傳佈於公眾。從而證明了沒有絕對化、抽象化，脱離歷史、社會和階級等條件去界定的新聞自由：「問題在於擁有的新聞自由，是為了誰的新聞自由？為了甚麼議題（project）的新聞自由？屬於誰的新聞自由？」。

接着陳先生談到《冰點》停刊事件的導火線：關於義和團事件的歷史認識與教育問題，陳先生強調：「自從十九世紀帝國主義列強無情蹧踐和掠奪包括中國在內的、薩依德意義上的『東方』，非西方、非白人、非基督教各民族人民就受到『西方文明開化』、『東方野蠻落後』這樣一種思想和信念的統治，不可自拔，難於翻身……(黑體為原文所示)」。陳先生建議回顧一下義和團運動的歷史背景，即十九世紀中期之後基督教東來中國的歷史：「在不平等條約的強制下，基督教以不平等條約賦予的特權(例如治外法權)的優勢在華佈教，良莠不齊的入教華人也享有治外法權，不受中國法律檢查權的管轄。一時豪紳遊手藉入教橫行鄉里，引起公忿。教會教民仗勢強買惡索，強迫捐獻，強佔墾地的事件，隨着中國國勢日頹，而愈演愈烈，致人民銜恨怒目，因此教民教會與社會的矛盾、爭執和鬥爭、毆鬥甚至凶殺事件頻仍，史上稱為『教案』。」隨着列強以「護教」為名，對清廷予取予求，終於成為一九零零年大規模中國農民反對洋教和一切西方事物的「義和團事件」，而農民的反西方暴動又給與西方列強聯手侵華的藉口。陳先生質疑：「那麼說起『殘酷、愚昧、反理性、反現代文明、給中國帶來傷害和恥辱』的，是義和團呢？還是歐西日本等八國聯軍？再者，是人家老遠組成聯軍跑到中國大屠殺、大劫掠，還是我們貧困農民到西歐日本去『殺人放火』了呢？」。陳先生反諷地說：「在帝國主義無情侵侮的時代，當封建王朝無計可施，……不甘屈膝的中國農民起而抗擊外侮的思想和行動只能是自由派百般嘲笑的形式：落後的武器、封建迷信和一顆不屈的民族驕傲。」

最後陳先生強調：「是的，中國的經濟發展存在着複雜的問題，但今天，最鄙夷中國的人都不能否認，沒有中國經濟的快速發展，就沒有世界經濟的持續性增長。就因為中國共青團的機關報自己查禁了屬於自己的《冰點》；就因為從來不曾存在的絕對化、抽象化的『新聞自由』；就僅僅因為共青團不贊成醜化義和團運動的買辦史觀，龍應台女上就要咒罵今日中國的『野蠻』，就要以有別於中國人的『台灣人民』的地位，威脅要以她的價值認同『離棄』、『抵抗』自己的中國認同！」。大義相責之後，陳先生轉引美國前總統尼克森所著《超越和平》中忠告美國人民的說法：「而今中國的經濟實力使美國關於人權的言說顯得輕率無知，十年後中國將使其顯得荒謬可笑……」，做出了對照性的結語：「不必再等十年，龍應台女士的這一番言說，在當下就已顯得輕率了」。

（因篇幅所限，無法收錄陳映真先生全文，如欲覽讀全文請至《聯合新聞網》http://www.udn.com/2006/2/19/NEWS/READING/X5/3171597.shtml。本按如有誤解陳先生觀點，文責由編輯自負）

# 中國政治進入了十字路口

## ——《冰點》停刊事件的思考

楊鵬 作家

《亞洲週刊》二零零六年二月十九日

二零零六年一月二十五日，《中國青年報·冰點週刊》被停刊整頓。由於《冰點》的地位和影響力，此消息迅速傳遍國內外。

一月二十七號，我先後讀到《冰點》編輯部主任李大同發出的「就《冰點》週刊被非法停刊的公開抗議信」、《共青團中央有關部門關於對〈中國青年報·冰點週刊〉錯誤刊發〈現代化與歷史教科書〉的處理決定》和龍應台發表的《請用文明來說服我——給胡錦濤先生的公開信》。以後幾天，陸續讀到一些對袁偉時《現代化與歷史教科書》一文正反兩個方面的評論文章。

第一遍讀《現代化與歷史教科書》時，雖然感到接觸到了不少自己不瞭解的重要史實，但總的來說，最初的反應並不舒暢。心裏想，無論如何，當時西方列強武力入侵中國，強迫中國政府簽訂這樣那樣的不平等條約，作者對西方殖民這樣的歷史背景過於輕描淡寫，而過多將火燒圓明園等事件的緣由歸因到清政府愚蠢地違反條約、誤判力量對比、非理性地應對外國這些原因上。這對當時中國官民反抗西方列強行為的歷史價值是不是過分貶低了？對當時中國官民應對西方世界的眼界和素質是否要求過高了？重讀袁文幾遍，最初那種不舒暢的第一反應漸漸消失，我開始試圖對袁文中的觀點給定一個大體的歷史定位。我大體將他的思想劃入清朝曾國藩、李鴻章、郭嵩燾、吳汝綸等所表達的那類思想類型中。用袁先生自己的話來表述，屬於那種「比較清醒的官僚和士紳」。

一切歷史都是現代史，袁先生回顧歷史，目的是為了推出他的結論：「面對咄咄逼人的強敵，作為弱勢的大清帝國一方，明智的選擇是嚴格執行現有條約，避免與之正面衝突，爭取時間，改革和發展自己。」「海內外的經驗證明：後發展國家和地區（殖民地、半殖民地）改變不發達狀況，改變被動局面的惟一道路，是向西方列強學習，實現社會生活的全面現代化。成敗的關鍵在國內的改革。」

這樣的結論，我們與其將其看成對歷史教訓的總結，不如看成是對今天執政者的告誡。從行文中，袁偉時並未將自己定位在現政權的對立面說話，他還是屬於追求改良的奏摺派。也許，受到有關部門如此處理，袁偉時先生也會有一種紅樓賈府焦大被塞一嘴馬糞的委屈感。其實，袁偉時被塞一嘴馬糞是正常的。在我們的歷史教科書中，清末改良派李鴻章等，長期被說成是賣國賊，《共青團中央有關部門關於對中國青年報冰點週刊錯誤刊發〈現代化與歷史教科書〉的處理決定》中稱袁文「極力為帝國主義列強侵略中國罪行翻案，嚴重傷害中國人民的民族感情」，這樣的反應並不讓人奇怪。我相信，不少讀者讀了此文的反應，可能會與有關部門領導的反應差不多，大家都是同樣的歷史教科書熏陶出來的，大家都是「紅旗下的蛋」。

中國是一個有着深重的祖先崇拜情結的國家，所以歷史傳承往往是政權合法性的重要方面。歷朝歷代，朝廷都通過控制歷史書寫來形成政權合法性的敍事。毛澤東一方面強化馬列主義這外來的政權理論的合法性，一方面也將政權合法性追溯到盜跖、陳勝、吳廣等中國歷史上的暴力造反派身上去。毛澤東時代，完成了以階級鬥爭、暴力革命為主綫的中國歷史的重新敍述。今天還在流行的范文瀾和翦伯贊等留下的中國通史，都是暴力革命者書寫的通史。階級仇、民族恨，國內反階級壓迫，國外反民族壓迫。階級鬥爭不是請客吃飯，而是搶奪政權的暴力革命，是你死我活的血腥鬥爭，沒有妥協的餘地。在暴力史觀下，和平階段只是為下一次戰爭做準備的階段，和平是相對的，鬥爭是絕對的。合約，只是暫時的停戰，不是戰爭的結束。法律程序，不過是強者意志和利益的一種偽裝形式，談不上甚麼道德上的正當性。

中國道家說：「虛無為本，因循為用。」把約束自己框框套套虛無掉，與時俱進，順勢而為。中國禪宗說：「世外人法無定法，方知非法法也。」毛澤東開心地說自己是「無法無天」。不請人間之法，才符合真正的天道的法。法律是戰勝者的工具，歷史拚的是詭詐與暴力。直到今天，我們的法律教科書也還在強調，法律，只是統治階級進行暴力統治的工具。在這樣的歷史觀下，袁偉時「程序正義優先的法學觀點」是可笑的甚至是可疑的。「程序正義優先」，不就是等於西方列強的強權和利益優先嗎？袁偉時被一些人罵成漢奸賣國賊，也是自然的。當年，李鴻章這類人不也飽受咒罵嗎？

改革以來，在對外關係上，執政集團採取的是一種追求經濟增長的務實的、溫和的、理性的政策，竭力保持了一個和平的外交環境。但同時，在政治意識形態領域，繼續牢固地保持着恐外仇外、暴力專政的暴力革命精神遺產。

# 僧格林沁戰勝李鴻章

改革二十多年，中國在經濟乃至文化上已融入了全球世界，中國社會發生了天翻地覆的變化，但是，政權的靈魂硬核似乎並沒有受到多少觸動，對槍桿子裏面出政權仍抱有一種宗教般的迷信，對暴力優勢是政權合法性的基礎仍有一種割捨不下的戀情，這在軍隊、警察和意識形態部門尤為如此。袁偉時的文章，也許會被過敏的當政者視為對革命合法性的顛覆，從而是對現政權合法性的顛覆，也許正因為一些當政者這樣想問題，才出現了《冰點》事件。《冰點》因袁偉時的文章而被停刊，揭示出一個真相：執政集團內部同時兼有李鴻章和義和團的內涵，外用李鴻章，內為義和團。有關部門的這次「勝利」，是黨內的僧格林沁、載勳、剛毅和民間義和團派的「勝利」。

在天網恢恢的網絡世界中，一支蝴蝶搧動翅膀，有可能在數千里外引發一場暴風雨。迅速的全球化進程，將中國拖入了一個網狀世界。全球大網之中任何一個網點的變動，都可能引發一系列不可測的連鎖影響。雖然中國開放已有幾十年了，但不少官員的腦子還停留在封閉世界之中，他們未必能準確估量自己的行為在開放系統中可能產生的系列後果。在我看來，有關部門這場魯莽的「勝利」，已在國際關係、兩岸關係和國內關係方面產生了相當大的影響，後果將源源不斷表現出來。

首先，將《冰點》停刊，會迅速地影響到兩岸關係，這可是有關部門事先沒有預料到的。就在《冰點》停刊的第二天，龍應台〈請用文明來說服我——給胡錦濤先生的公開信〉就在臺北《中國時報》、香港《明報》、吉隆坡《星洲日報》、美國《世界日報》上同步刊出。此文迅速在中國知識界流傳。以龍應台在臺灣和海外的影響，加上這篇文章本身的力度，我相信在兩岸關係上已造成一種不可低估的歷史性影響。龍應台在文章中提出了兩岸統一的底綫標準：自由民主的價值底綫。這等於是說，中國統一的最大阻礙，不在民進黨，不在臺灣島內的臺獨情緒，而在大陸專制集權的政治制度。

## 蝴蝶引發的暴風雨

民主＝統一，不民主＝臺獨。她極有影響力地將民主統一中國的訴求公諸於世界。這樣的觀念，對臺灣知識界、傳媒、民眾和政黨，不會沒有影響。這篇文章一發表，肩負統戰使命的可愛的熊貓團團和圓圓，馬上失去了政治價值。我相信，民主統一中國將逐漸發展成為臺灣的主流政治民意。民主統一中國的觀點，也一定會在大陸知識界和民眾中得到廣泛的響應。這對大陸的政治生態會產生甚麼樣的影響？有關部門想過嗎？《冰點》被停刊，就如同蝴蝶搧動了一下翅膀，但卻帶來臺灣政治風向的變化，帶來兩岸關係上主動與被動關係的氣候變化，這一定超出了有關部門決策人的考慮範圍。他們太習慣於在狹隘封閉的系統內考慮問題了。

其次，中國政府「和平崛起」國際承諾的可信度，也會因《冰點》停刊事件而受到影響，對此，有關部門也一定沒有想過。改革以來，中國經濟日趨市場化。儘管還有行政官商壟斷因素在阻礙着公司的市場化進程，但中國生產要素日趨市場化的總趨勢多少是被世界認可的。但是，中國政府會不會啓動民主化程序，卻一直是一個不確定因素。為了回應外界的擔憂，中國政府發表了《中國民主政治建設白皮書》，承諾中國將走漸進的民主政治建設之路。

然而，《冰點》的停刊表達了有關部門要進行思想言論控制的決心，從而將中國政府定格在全力維護集權政治之上，這使中國「和平崛起」的承諾蒙上了陰影。為甚麼這樣說？因為在人類歷史上，大國的「集權政治＋壟斷市場經濟」的組合，從來是一個危險組合，這在西方學界及至政界，是一個常識。十九世紀末二十世紀初的德國、日本和意大利，就是「集權政治＋壟斷市場經濟」的組合，它以政治強權，將國家資源集中到政府直接控制的少數壟斷企業身上，將國內的階級矛盾和人民矛盾，轉向國外的民族矛盾，以極端民族主義為號召，以武力來爭奪國際市場和原料。去年六月，朱成虎少將宣稱，中國要用核戰爭來對付美國，並且準備放棄西安以東的城市，這已經在全球引起軒然大波。朱成虎這種新時代的義和團心態，與有關部門關停《冰點》的心態之間，難道沒有一種內在的聯繫嗎？政權內部充滿着僧格林沁、載勳、剛毅、朱成虎和有關部門決策者這類過度恐外仇外的人，很難讓人相信中國政府會有一個和平穩定的政治取向。在國外「中國威脅論」甚囂塵上的今天，無論朱成虎發出核威脅還是將《冰點》停刊，對中國和黨的命運都是極端不負責任的行為。

最後，對內讚美暴力革命，對外煽動民族仇恨，其實是在給中國和共產黨的未來埋下意識形態地雷。改革以來，執政者集團對外表現出來的溫和理性的風格，在網上已常常被罵為軟弱賣國。有關部門站在極端民族主義一邊，這是在玩火。當年義和團沒有成事，如果真成了事掌控了大局，還有你大清王朝？李鴻章等人，決不相信義和團「扶清滅洋」的話是真的。其次，有關部門還繼續讚美暴力革命，更是荒謬絕倫！且不說暴力革命無助於中國的和平發展。就是從共產黨的私利來說，現在仍讚美暴力革命，也屬不可思議的行為。革命，是被壓迫者推翻壓迫者的暴力行動，今天的壓迫者是誰？誰有權誰就是壓迫者，這不是明擺的事嗎？今天的共產黨已是統治中國的執政黨，革命前的盟友已變成了今天的敵人，革命前的敵人已變成了今天的盟友。讚美暴力革命，就是想把毛澤東的暴力魂塞進民眾心裏，就是鼓勵底層起兵造反，這麼簡單的道理還用再說嗎？從鄧小平到江澤民，一門心思要消除階級鬥爭和暴力革命的文化，有關部門難道就一點不明白？《冰點》被停刊，網上左翼憤青們一片歡騰，你以為他們姓「左」，他們就一定愛你這個政權！你就不明白，否定暴力革命，是為了今後不發生暴力革命。這是為中國的和平發展在排除精神地雷呀！在這個意義上，有關部門是為了歷史的記憶而犧牲了將來的穩定。他們這是腦子糊塗還是別有用心呢？

有關部門如果對袁偉時文章觀點不滿，為甚麼不組織人寫文章進行辯論呢？為甚麼要採取讓《冰點》停刊這樣粗暴的辦法呢？顯然，目的不是針對一篇文章，而是針對《冰點》這個平台。僅僅挑出袁偉時的文章來發難，大概是考慮到袁文有觸怒國內極端民族主義情緒的可能。這就說明，有關部門希望借助極端民族主義情緒，來支撐自己封殺《冰點》的合理性。這也說明，在有關部門的思維中，極端民族主義與政治行為合法性，是聯繫在一起的。他們要玩的是極端民族主義這張牌。

## 人身依附的集權結構

黨內無派，千奇百怪，這話是毛澤東說的。中共黨內不同觀點和派別都存在，只是沒有公開，黨內沒有一種和平、透明、平等的民主競爭制度。黨內不同路綫的鬥爭，從來是黑箱操作，陰謀詭計，異常危險。中共黨員有七千多萬黨員，黨員們在國內外諸多問題上有不同想法，本是正常的。不正常的是，中共內部仍然是一個金字塔式的層層人身依附的集權結構，當政的黨員動不動用強制手段來壓制黨內不同的聲音。

就《冰點》編輯部來說，主編李大同是老共產黨員，絕大多數編輯也是共產黨員。而且，寫文章的袁偉時也是一位老共產黨員。他們也是愛國的，只是他們對愛國的理解與有關部門的人理解不同。他們對現政權的命運也是擔憂的，只是他們對現政權應有的取向與有關部門的人理解不同。他們認為一個言論更開放、政治更民主的共產黨，是一個更有生命力的共產黨，是一個對中國和世界更負責的共產黨。他們相信，一個在國際關係上追求理解與合作的政權，比一個在國際關係上追求排外和衝突的政權，更符合中國和平崛起的目標。他們認為，以極端民族主義和民粹主義為基礎的政治集權完全逆歷史潮流而動。他們認為，任何人都無權拖着黨和國家一起走自殺之路。他們都屬於黨內具有自由民主精神的人。他們不是反黨人士，他們是黨內民主人士。

我這種感受，相信大凡多少瞭解《冰點》歷史的人，只要腦子不進水，應當都會有。《冰點》停刊事件提醒我們，黨內保守勢力正在上升，今後中國有可能走上一條政治強權與壟斷經濟結合、對內鎮壓對外強硬的新法西斯政治道路。黨內民主派們所希望的推進民主法治、權力和財富下移，對內和解，對外和平也許將成為夢幻。

中國改革以來，有兩條路擺在前面，一條是「民主政治＋自由市場經濟」，這是《冰點》向來堅持的道路。一條是「集權政治＋壟斷市場經濟」，這是黨內保守勢力向來堅持的道路。鄧小平時代，在經濟上走的是自由市場經濟之路，放權讓利，使財富分散化，市場競爭化。在政治層面，鄧小平、胡耀邦等曾強調政治改革，有走向民主政治的衝動和嘗試。

而近年來，反小平之道而行之的趨向愈來愈明顯，「集權政治＋壟斷市場經濟」的色彩愈來愈重，官場的集權與腐化，官商特權壟斷利益集團的壯大，意識形態的毛式左轉，外交上好戰派聲音的出現，與日本關係的緊張，民粹主義的興起，都是在這樣的背景下迅速發展，使新法西斯主義特徵愈來愈明顯。這條路將把中國引向何方？將把共產黨引向何方？在我看來，如果繼續如此下去，共產黨自我改良的機會和資源在一天天減少，中國也愈來愈進入一個高度不確定的危險期。我將《冰點》的停刊，視為一個信號，這個信號提醒我們一切關心中國共產黨和中國命運的人們，中國政治開始進入了歷史的十字路口，而我們正被迫拐向一條危險的路上去。

# 附錄

請 | 用 | 文 | 明 | 來 | 說 | 服 | 我

# 沼澤裏飛起的鴨子

專訪者：江迅

《亞洲週刊》二零零五年七月二十四日

〈你不能不知道的臺灣〉刊出，文章像沼澤裏飛起的鴨子，引來不同獵手的射擊。中國大陸有人罵是獨派，臺灣有人罵是統派。文章正好暴露獵人的位置，他們不同的立場、觀點，讓兩岸人民相互瞭解、互相包容。

* * * * *

龍應台的《野火集》被譽為「時代的刻痕」，二十年過去了，《野火集》依然是臺灣社會不分藍營綠營充滿熱情的青春記憶。二零零五年七月五日，龍應台前往臺灣參加《野火集》二十週年系列紀念活動前一天，在香港大學傍海的宿舍，接受了亞洲週刊的專訪。話題是從她在北京傳媒發表的〈你可能不知道的臺灣〉（原文標題是〈你不能不知道的臺灣〉）引起的反響說起的。

◎〈你不能不知道的臺灣〉是你主動投稿給《中國青年報》的嗎？

是《中國青年報》約我寫的稿。我曾經三次婉拒。因為如果我真要寫我想說的，那是不可能在北京的報紙上刊登的，又何必浪費時間。如果我寫得吞吞吐吐，欲言又止，那又不值得看了。於是，一來一往，與編輯往來多次。最後答應為他們寫一篇。

◎最後為甚麼又答應寫？

是《中國青年報》的編輯說了一個我應該寫的理由，這理由真正打動了我。他說，連戰和宋楚瑜訪問中國大陸，它真正的意義所在，大陸的學者有他們的角度，但由於不太瞭解臺灣，所以臺灣人的角度，他們是看不到的。而臺灣作者中，比較深刻一點地瞭解中國大陸從而知道如何與大陸讀者對話的，實在也不多。因此，這位編輯認為，我責無旁貸。對他這麼說，我實在啞口無言。當時我就答應試一試吧。我想，假定我的文章無法在北京刊登，不管怎樣，那也是給歷史留下個記錄。說實話，我不能不說，寫文章主要是《中國青年報》的編輯，以誠懇和用心，深深感動了我。

◎這話怎麼理解？

在與中國大陸知識分子交往的過程中，我感受到，他們在那麼艱難的結構裏，要維持理想和信念，是多麼不容易的一件事，需要堅韌的信念，抵抗無力感，才能在這麼長的一個時期，堅持一個理念。憑這一點，即使我的文章不能刊登，也無所謂了。當時我還有點慚愧，因為擔心文章可能無法刊登而不想寫，但北京的這些朋友在爭取這樣的文章時，付出了多麼大的代價，相比之下，我不寫，太對不起他們的努力了。他們是那麼勇敢，而我內心也煎熬，覺得自己不寫，是過份了。

◎能說說這篇文章寫作的過程嗎？

當時，我去新加坡演講，手上正在趕寫《野火》出版二十週年紀念版的序言，此外還有不少急着要做的事。不過，給《中國青年報》寫一篇文章，始終沉沉地壓在我心裏。從新加坡回香港，是早上十點多。我發現截稿期已經到了，我心裏有些猶豫，究竟還要不要寫。是不是可以在最後一分鐘乾脆「賴掉」算了，可就在這時，編輯電話又來了。於是下定決心寫了一天一夜，第二天早上交稿，文章是五月二十六日刊登的。

◎文章發表後反響如何？

北京的朋友們說，文章發表後，當天大陸主流門戶網站，白大毫無動靜，大家都被文章得以刊出「嚇呆了」，不敢轉載，都在觀望，不敢輕舉妄動。到第二天早上，就暴增到一百四十萬條。據說不少人打開報紙，都被文章嚇了一跳：這樣的文章怎麼會出籠的？

◎臺灣知識界對這篇文章反應如何？

這篇文章同步在臺灣刊登，大陸一些讀者不瞭解，說，「臺灣《中國時報》刊登時將文章的標題改了」，他們不知道臺灣刊登的〈你不能不知道的臺灣〉才是真正的原本標題。《冰點》主編為了減低刺激，所以把「你不能不知道」改成「你可能不知道」。有意思的是，在華文媒體中，最敏感的、反應最快的還是新加坡《聯合早報》，第二天就有評論。

**語境不同兩岸都指責**

在臺灣的知識界朋友讀這篇文章，有兩類反應，一是看門道，一是看熱鬧。比較瞭解大陸的，看了就很吃驚，說，這篇文章怎麼可能在大陸——尤其是在共青團的官方媒體，登出來的？另一類人，看了這篇文章會說，此文有甚麼意思，文章的內容在臺灣的語境裏太尋常了，那是不太瞭解大陸現狀的人們。可以說，在臺灣，後者是前者的十倍。

臺獨的基本教義派跳出來指責我：龍應台的文章竟然在北京《中國青年報》上刊登，說明她是「統派」。但在中國大陸，很大一部份網民指責我說，龍應台寫這樣的文章，毫無疑問就是「獨派」。一個文本兩種極端反應，所顯現出來的，是臺灣與中國大陸的隔閡很深，是彼此互不瞭解。我想，兩岸知識分子應該如何更多更深更誠懇的交流。我的文本可算是一種實驗。

◎怎麼理解你所說的你的文章「是一種實驗」？

我的文章有點像在沼澤裏飛出來的鴨子，所有的獵人都舉槍對它射擊，獵人們所站的位置不一樣，從東西南北射出來，文本就暴露了這些獵人的位置。比如說，文章講述民主、自由主義、均富這些詞時，會有甚麼不同的反應。當我為臺灣民主辯護的時候，像《中國青年報》這篇文章中所說，民主已經滲透到臺灣人的生活方式中去的時候，大陸的知識分子可能會有兩種反應。自由派的知識分子歡迎我的說法，另外一派就會攻擊我，指責說臺灣的民主有多少多少問題，有多少多少惡質，有多少多少卑劣的政治操縱面。在臺灣，同樣一個文本，也會有兩種極端出現，還不完全是以藍營、綠營來分，而是某些知識分子會指責說，你把臺灣的民主說得太好了吧。其實，我有時也有挫折感的，再說《中國青年報》的這篇文章，大陸一些知識分子能明白，文章能發表的「重要性」在哪兒，但很大部份臺灣的知識分子並不清楚，他們不知道大陸對臺灣問題的言論尺度在哪兒，忌諱在哪兒，因此不瞭解這篇文章的真正內涵是甚麼。這時候，我會感到十分孤獨。

◎前面你說到寫作的語境，你寫作時考慮讀者對象嗎？

我試圖與中國大陸的讀者、知識分子對話時，是針對大陸的現況說話的，雖然我對大陸的瞭解還很膚淺。

對象是臺灣讀者時，我對臺灣惡質民主的批判是不留餘地的，但是當對話的對象是中國大陸讀者時，如果還是一樣的批判，那就有點像，譬如一個富人，對還吃不飽的窮人說「你不要吃太多了，吃得太多，你的營養會不均衡，身材難看，提早衰老」甚麼的，這難道不是一種「富人的傲慢」嗎？

**理據各不同萬箭穿心**

因此，就我所瞭解的中國大陸的困境而言，我會着重於講解臺灣民主的正面部份。對我而言，這是兩個不同的語境，背景理據不同，論點和觀點必須不同。但文本攤出來，這邊的人不瞭解那邊的語境，那邊的人又不瞭解這邊的語境，箭就會從兩邊射過來，這種「萬箭穿心」的經驗，我經歷太多了。我也更深刻感受到兩岸語境的錯位的嚴重。

◎面臨這樣的語境錯位，你怎麼辦？

有些文章，我會在文前的編者按語中說明，有些就乾脆只在有針對性的某一地發表。譬如〈你不能不知道的臺灣〉就只是在兩岸發表。有些文章有普遍性，如〈為臺灣民主辯護〉，就同時在新加坡、馬來西亞、臺灣、香港、美國，以及北京的北大燕南網發表。但也有特殊性，於是在文章前面加一段前言部份。

我是憧憬比較擴大的華人世界的。譬如說，北京的讀者是否也應該瞭解大中國以外的海外華人，如新加坡、馬來西亞，不同地區的華文圈的想法呢？我想，我的這些文本就是一種溝通，野鴨飛出來了，不同的獵人從不同位置射擊，彼此之間逐漸明白，別人的觀點和位置與自己可能是完全相反的。這，也是一種隱晦的、曲折的溝通吧。

◎有香港學者批評你，說你才來一年，能瞭解多少香港，卻對香港指手畫腳，你怎麼看？

有這樣的反應是絕對正常的。如果人們真誠歡迎外來者的評說，那是這座城市的福氣。就我而言，已經打破那種國家的本位概念，我不覺得我是單一的臺灣人，我比較強烈地感覺自己是華文世界的人，漢語是我的護照。是這種華文世界的意識，令我覺得關心香港，與關心臺北、關心北京，都是一樣的，每一個地方只是全人類的一個村子。如果說，我也關心阿富汗，那裏也有人類的文化遺產，那麼我對同文同種的香港和北京，更多一份關懷，以及責任感，好像很正常吧？作為人類共同體的一分子，作為華文共同體的一分子，我的關心所在是理直氣壯的。有人問我，是臺灣作家，還是中國作家？我的回答是華文作家，我對新加坡的關注也是一樣的。當地人對我的評說是否舒服，那就對不起了，有人接受，有人不接受，我作為一個作者和思考者，憑良知說話，對人們的這種那種觀感，不是那麼在乎。

◎來香港兩年，是否感覺香港一些知識分子依附權力、依附財富的現象？

香港的學界、文化界和媒體界，與政府和商界的關係、介面和結構，與臺灣和大陸是非常不一樣的。香港是長時期的英國殖民統治，又是自由海港，以賺錢起家，與這樣的歷史條件很有關係。

我剛來香港，就發現這裏的知識分子，或者說學界、文化界，對政府政策影響竟然這麼小，小到在臺灣是不可思議的，甚至媒體對政府決策的影響也很小，或者說，在香港，官似乎特別大，政府特別大。沒來香港前，外人都認為香港沒有民主，但有自由；香港是小政府大民間，來了以後發現正好相反。

同時，有趣的是，臺灣和大陸有一種「士」的傳統，而在香港很少見，相較之下，香港缺少儒家定義下的「知識分子」，缺少獨立知識分子。不過，我卻會以理解的眼光關注他們，因為這是與過去的一百五十年殖民歷史的結構是一致的。殖民結構是一個因，現在看到的是一個果。這是一個商人治港的社會，是歷史條件所決定的。

◎ 你覺得在香港這樣的空間還是不錯的？

我是深深的覺得，除非北京有民主，否則香港是不可能有自己的民主的。但即使是在這樣的有限條件下，在這樣的政治框架下，香港還是有很多空間，開拓它的民間社會。政治的框框是死的，但在這框框之內，有太多可以做的事情了。比如說，如何變成一個讀書人的社會，如何開拓環保的公民力量的出現，如何開拓文化政策的研究，總之有太多的事情可以做。因此，我不是那種認為政治框架是死的，於是甚麼事也不去努力的人。

◎你的時代責任感很強，怎麼理解知識分子的知識和道德共同體？

以前的中國，傳統意義上的「士」，知識和道德是結合的，是一個整體概念。到後來似乎有點分開，知識越來越分門別類，走向「匠」，專注知識，而將道德從知識中抽離開來。我覺得這樣的發展並沒有錯。你是一個物理學家，你就應該在物理學知識層面做一流的學者，知識上要出類拔萃，當然是第一條件。不過，知識上出類拔萃的只是學者或專家，與我們心目中的知識分子還是有一點差別。我心裏會覺得知識上卓越，再加上道德層面的人格修養，具有這樣的兩個條件的時候，包括人格的獨立，包括有眼光和膽識的品質，這樣的結合，才是理想中的知識分子，因此說，僅僅有知識還不是我們心目中所說的那種「知識分子」。

◎許多人說，你做人太認真，你是否想過要在香港扮演一個怎麼樣的角色？

我沒有思考過。其實我根本不想在香港扮演甚麼角色。我只不過是跟着自己的性格走。

當我看到一些事情，而這些事情又觸動我，觸動我到某種程度時，我想用文字將我的觸動表達出來，我想，我也就只是這樣而已。如果我表達的這些文字，正好切中這個社會的某一根弦，它就發揮一種作用。我只是希望能用最準確的最好看的漢字，把自己的想法表達出來，僅如此而已。

◎讀你那些文章，總感受到一種俠氣，讀你寫家人的文章，又覺得特別的柔性，你是否感覺你身上的這一矛盾？

你說的那種「俠」，那是性格的弱點。我其實充滿矛盾。譬如每次有演講或者記者會，之前一小時，我往往會陷入一種憂鬱和痛苦之中，因我內心很深很深的地方，是非常「老莊」的，很私人的，很不願意在臺上、在鎂光燈前出現。但我性格中又無可奈何地有一種不自覺的儒家的哲學，看到一些事情就想寫去改變它的那種衝動，可能就是你所說「俠」的部份，由於這種「俠」的部份存在，我就會去承諾許多事情，可是等到燈光打好了，要你出現的前一刻，那種老莊的性格又佔了上風，內心又為自己的「入世」懊惱不已。

◎在網絡上有些人批評你，質問你為甚麼不批評中國大陸的政府，你怎麼解釋？

對此，我有兩個感想。第一，在這麼多年來接觸到的中國大陸知識分子中，我特別尊敬他們的勇敢和堅持，可另一方面，我也注意到大陸知識分子的一種文化現象，即有蠻多「勇敢的」知識分子同時缺乏寬容，「與我不一樣的就是我的敵人」，他們不太懂得尊重別人有不同的方式去抵抗、去實踐自己的良知。事實上，實踐良知的方式很多啊，有的可能採取電光石火式的，有的可能選擇迂迴式的，甚至連沉默也可以是一種抵抗，抵抗的方式有太多種，而每個人都有不同的養成背景和人格特質，因此做出不同的抉擇。我認為知識分子在追求自由民主時，第一個基本測驗不是你懂多少理論，而是，在你的親身實踐上，在你對待別人的態度上，是不是「寬容」。

## 寬容和自由同樣重要

作為一個充滿道德感的知識分子，如果不允許別人用不同於自己的方式去表達，這是一個有問題的態度。這種寬容精神的缺乏，在我這「局外人」眼中，在中國大陸的知識分子身上看得特別明顯。知識分子要爭取的就是自由的寬容的、允許不同觀點的社會，而結果你在出發點上就把自己打敗了。應該說，只要基本理念一樣，那都是自己的朋友。如果你要求基本理念跟你一樣，而且要求連出招的方式都必須跟你一樣才是朋友，否則就是敵人，這是令人遺憾的。

我雖然不至於和胡適之一樣說，寬容比自由重要，但我絕對覺得，寬容和自由一樣重要。

◎那麼第二個想法呢？

第二個就是，我真正比較直接批評北京的文章，大陸往往是看不到的，因為從前沒有網路這個空間。到今天，很多文章也上不了網路。再說，我有好些文章，比如關於天安門事件，是根本連中文版都沒有的，當初是用德文和英文書寫，發表的，因此中文讀者看不到。

在大陸的追求自由民主的知識分子，應該擴大「統一戰線」。只要是嚮往自由的知識分子，何妨用最大的胸懷，去鼓勵那些跟你有一樣理想目標的人，允許別人用跟你一樣或甚至完全相反的方式，邁向同一個目標。知識分子的博大胸懷，依我看，應該是知識分子的第一要件。